Superando a
Ansiedade

Solicite nosso catálogo completo, com mais de 500 títulos, onde você encontra as melhores opções do bom livro espírita: literatura infantojuvenil, contos, obras biográficas e de autoajuda, mensagens espirituais, romances, estudos doutrinários, obras básicas de Allan Kardec, e mais os esclarecedores cursos e estudos para aplicação no centro espírita – iniciação, mediunidade, reuniões mediúnicas, oratória, desobsessão, fluidos e passes.

E caso não encontre os nossos livros na livraria de sua preferência, solicite o endereço de nosso distribuidor mais próximo de você.

Edição e distribuição

EDITORA EME
Avenida Brigadeiro Faria Lima, 1080 – Vila Fátima
CEP 13369-040 – Capivari-SP
Telefones: (19) 3491-7000 | 3491-5449
Vivo (19) 9 9983-2575 ☉ | Claro (19) 9 9317-2800
vendas@editoraeme.com.br – www.editoraeme.com.br

☉ @editoraeme   f /editoraeme   ▶ editoraemeoficial   🐦 @EditoraEme

Superando a Ansiedade

Capivari-SP

© 2008 Eulália Bueno

Os direitos autorais desta obra são de exclusividade da autora.

A Editora EME mantém o Centro Espírita "Mensagem de Esperança" e patrocina, junto com outras empresas, instituições de atendimento social de Capivari-SP.

18ª reimpressão – maio / 2025 – de 24.001 a 24.500 exemplares

CAPA | Nori Figueiredo
REDIAGRAMAÇÃO | Marco Melo
PROJETO GRÁFICO | Bruno José Dal Fabbro
REVISÃO | Lídia Regina M. Bonilha Curi

Ficha catalográfica

Del Pilar, Irmã Maria do Rosário, (Espírito)
  Superando a ansiedade / pelo espírito Irmã Maria do Rosário del Pilar; [psicografado por] Eulália Bueno – 18ª reimp. mai. 2025 – Capivari, SP: Editora EME.
  224 p.

  1ª edição – julho/2008
  ISBN 978-85-7353-390-3

1. Espiritismo. 2. Mediunidade. Psicografia.
3. Mensagens mediúnicas. 4. Textos motivacionais.
I. Título.

CDD 133.9

Sumário

A bênção do recomeço...9
A importância da fé 11
Abortos morais 13
Afinidades morais...15
Agradece sempre..17
Além das ilusões 19
Anjos tutelares...21
Ante um momento difícil.....................................23
Apenas o que possas..25
Aptidões 27
Ausência do bem...29
Autoconhecimento..31
Bênçãos ocultas...33
Bênçãos que não vês 35
Bendito esquecimento 37
Carências 39
Caridade 41
Como queiramos enxergar 43
Consciência e vida...45
Construções da fé..47
Cristo espera por ti..49
Dádiva de luz...51

Débitos	53
Deixa de pensar pequeno	55
Descansa em paz	57
Diante da morte	59
Diante da vida	61
Doenças e doentes	63
Dor sublimação	65
Dores cruéis	67
Dores da alma	69
Em resgate	71
Emoções tumultuadas	73
Enfermidades e evangelho	75
Enquanto dormes	77
Enquanto o amor não vem	79
Estás de passagem	81
Estás deprimido?	83
Este dia	85
Expiações dolorosas	87
Fardo precioso	89
Fica com Deus	91
Fim dos tempos	93
Flores de luz	95
Fonte segura	97
Futilidades	101
Gratidão	103
Hábitos dispensáveis	105
Herdeiro de Deus	107
Ilusões	109
Impermanência	111
Jesus contigo	113
Jesus de Nazaré	115
Jesus no teu dia a dia	117
Mãe, amor sublime	119
Mediunidade	121

Mediunidade consoladora 123
Não apagues a tua luz 125
Não basta viver... 127
Não posso 129
Não sejas o que condena 131
Não temas fazer o bem... 133
Nas teias da ilusão 135
Natal dos pequeninos 137
O acaso não existe 141
O amor e o saber 143
O bem é sutil... 145
O fardo de cada dia 147
O recurso da prece.. 149
Obstáculo abençoado 151
Obstáculos... 153
Olhe para trás 155
Parentes difíceis.. 157
Pensamentos deletérios.. 159
Perdoa sempre.. 161
Persevera no bem.. 163
Possibilidades 165
Preciosa oportunidade 167
Presente precioso.. 169
Queixas 171
Recolhe-te em paz 173
Recursos.. 175
Reencarnação 177
Relações tempestuosas 179
Sagrado repouso... 183
Saúde espiritual.. 185
Se fores com Jesus 187
Se nada tens 189
Sensações desagradáveis.. 191
Silêncio mental 193

Só por hoje...195
Solidão 197
Solidariedade..199
Soluções fáceis 201
Supérfluos 203
Talvez amanhã...205
Tempestades 207
Terapia da paz 209
Teu irmão e tu...211
Teu pensamento 213
Torturas desnecessárias..215
Tua conduta 217
Tua paz 219
Vida única 221

A bênção do recomeço

Vezes sem fim te encontramos agasalhado, sob o véu da tristeza, quando não, de olhar turvado pelas lágrimas do desânimo, sem motivo para seguires adiante.

Parece que todos os teus sonhos foram desfeitos e as esperanças removidas do horizonte de tua alma.

Não encontras motivos suficientes para continuar vivendo com alegria e gratidão.

Os amigos já não te sorriem como antes. Os desejos não mais encontram caminhos para se materializarem.

Parece que tudo vai ruir sob a extensa onda de pessimismo que te assola o espírito. Nem te dás conta de que, por te queixares pelo pouco que não conquistaste, desperdiças os bens incalculáveis que possuis.

Não percebes que és portador da sublime oportunidade da reencarnação e os sofrimentos vivenciados, tanto quanto os obstáculos que surgem, nada mais são do que benditas oportunidades a oferecer lições imorredouras, indispensáveis ao teu enriquecimento espiritual.

Nem sequer consegues sentir que, diante de tudo, está a confiança de Jesus em ti depositada, rogando-te empenho no aprimoramento, para que possas seguir adiante, colhendo novas e incomparáveis experiências.

Superando a Ansiedade

Percebe o quanto estás distanciado do Pai e, através da oração, restabelece o intercâmbio com Ele a fim de que possas encontrar forças e ânimo para dar continuidade à tua caminhada.

E, por onde fores, com quem seguires e diante de qualquer circunstância, nunca te esqueças de que, mesmo não reconhecendo, estás vivenciando a mais sublime oportunidade a te oferecer a bênção do recomeço, por isso empenha-te em fazer o melhor que possas.

Se te foi permitido reprisar o passado, com a opção da melhoria, recorda que agora não somente vives o presente, mas também constróis, a cada passo, o sucesso ou a derrocada do teu amanhã.

A importância da fé

Podes possuir todos os bens intelectuais ou econômicos que o mundo seja capaz de te oferecer, no entanto, se não tiveres fé, serás como um náufrago, em meio à tormenta, conduzido pelas vagas da ilusão ao abismo da infelicidade e da loucura.

Não creias jamais que podes vencer as adversidades, duelando com elas por meio da inteligência, pois te confrontarás, muitas vezes, com acontecimentos que a aparente lógica não poderá desvendar.

Muito menos, te acredites detentor de tal força, que tudo te será submisso à vontade, pois um simples vírus que teus olhos nem sequer podem perceber, será suficiente para te destruir o implemento físico, arrebatando-te a alma insensata ao poço da revolta e do desespero.

Nunca tentes caminhar sem dar importância máxima à fé.

A fé sustenta-te as forças, quando o desânimo se torna ameaçador.

Ela te fornece serenidade e confiança para prosseguires, quando não encontrares razões adequadas para o que te sucede.

É a fé que te fortalecerá o caráter, quando a corrupção te prometer o que, honestamente, não conseguires obter.

Somente ela te trará a compreensão para aceitares os que te agredirem, sem te movimentar a ânsia de vingança. Podes ser tudo que o mundo te permitir conquistar, mas se não tiveres fé, nada serás.

Fica, portanto, com a fé, dando-lhe a importância suficiente para que ela te conduza a Jesus, pelo caminho do bem.

Abortos morais

Naturalmente, envolvido pelo torvelinho das preocupações diárias, muitas vezes sucumbes às angústias que te assolam a alma despreparada para aproveitar as radiantes oportunidades que te surgem a todo o instante.

Atormentado em prever e precaver para o dia de amanhã, passas pelo hoje sob o efeito de potente anestesia, sem conseguir vivenciar o momento mais oportuno que sempre é o agora.

Contabilizas recursos de todo jaez para garantir uma vida estável no porvir. Alimentas sonhos e anseios muitas vezes sem propósito, lançando a eles a conta de teus objetivos.

No entanto, enquanto assim procedes, o tempo sem se deter ante os teus engodos, avança célere e firme, levando consigo o que realmente possuis: o momento presente.

Dessa forma, em nome do que planejas ter, praticas severos abortos que te custarão crises de consciência a aguardar-te no despertar do além-túmulo.

Abortas a oportunidade santificante da paciência agora para com um familiar, desatando o convívio com ele, apostando que a vida o ensinará a ser melhor para, então depois, voltar a conviver contigo. És tu, no entanto, que, neste instante, dispensas a chance redentora.

Abortas o ideal de servir, voluntariamente, à causa nobre, declarando-te impossibilitado, pela necessidade de trabalhar, a fim de garantir o sustento, ocultando que te preocupas muito mais com os supérfluos que podes fazer constar do rol das tuas aquisições momentâneas.

Abortas preciosos momentos junto aos filhos, afirmando a necessidade de lutar para lhe garantires o dia de amanhã, quando na realidade deverias fazê-lo agora, amando-os e instruindo-os, exemplificando–lhes que cada um é responsável pelo seu próprio destino.

Abortas a convivência com Jesus para viver mergulhado nos interesses mesquinhos que, quando muito, te farão aparentemente feliz e por tempo limitado.

Abortas oportunidades preciosas que te surgem no agora, que é a tua realidade, para projetares um depois que não te sabes capaz de atingir.

Abortas a vida para sonhar, sonhas para viver e morrerás para despertar num amanhã, que será hoje, vazio de ti mesmo por nunca teres te encontrado em tempo algum.

Faze do agora o melhor momento, na certeza de que somente vivendo o hoje terás direito ao amanhã e, por isso, faze o melhor que puderes.

Afinidades morais

A lei de sintonia traz para junto de ti os Espíritos com os quais se assemelham as tuas tendências, ampliando o universo que já reside em ti mesmo.

Se rogas, insistentemente, a presença dos benfeitores amigos sem, no entanto, agires a fim de proporcionar o clima adequado à presença deles, atenta para a modificação que se faz imperativa no teu modo de ser.

"A cada um segundo as suas obras" e "assim como o homem pensa, em seu coração assim é", são frases que devem te fazer recordar que conquistarás a simpatia dos bons Espíritos somente por meio das ações e de pensamentos nobres e não apenas pelo movimentar dos lábios a exprimir desejos imerecidos.

A cada dia surgem novas oportunidades de renovação que, se não desprezadas, tornar-te-ão, realmente, uma pessoa melhor.

A Lei de Sintonia não se submete a simulações, mas ela representa a realidade de cada alma no campo de suas próprias realizações.

Na Terra, muitas vezes, cultivas amizades importantes, mas elas se limitam ao rol dos interesses mesquinhos que possam, de alguma forma, ofertar-te vantagens imediatas.

Superando a Ansiedade

As afinidades morais somente se aplicam aos domínios da alma e se estabelecem como vínculos de alta potência, a te submeterem ao cadinho da dor ou à sublime convivência do amor, de acordo com a aplicação dos padrões vibratórios de cada um.

Assim sendo, se anseias pela duradoura companhia do bem, age no bem, a fim de angariares ambiência de paz ao teu redor. E se, por acaso, os teus passos trilharem o caminho da dor, guarda a certeza de que não transitarás pelas trevas, mas haverá sempre a luz de um Espírito amigo, oferecendo-te serenidade e força para continuar.

Não sejas o que deseja o benefício do bem para si, sem dar de si o próprio bem.

Cultiva-o e executa-o por onde fores para que tuas súplicas não sejam apelo sem eco.

É amando que merecerás amor.

É trabalhando que não te faltará auxílio.

É dando que receberás sempre.

É fazendo o bem que permanecerás com Deus.

Agradece sempre

Mesmo que os dias te pareçam tumultuados, agradece sempre.

Aceita que não há criaturas que têm condições de avaliar as suas reais necessidades e que, mergulhadas no campo biológico, permanecem esquecidas das verdadeiras condições, ansiando por coisas absolutamente desnecessárias.

Observa a vida com infinita gratidão a Deus e oferece a ela o melhor de ti.

Nunca te esqueças de que recursos infindáveis foram movidos para garantirem-te o dom de viver e não sofras em demasia por aquilo que te contraria os anseios, pois, muitas vezes, esses obstáculos são o teste de aprimoramento indispensável à tua evolução.

Se não és bem sucedido no campo familiar, talvez possuas uma roda invejável de amigos.

Se o teu campo profissional não é coroado pelo êxito esperado, ao invés de te desiludires, agradece pela saúde que te cerca a existência.

Há tantas coisas que possuis e pelas quais deverias agradecer, que não podemos supor te apegues somente àquelas que não saíram como planejaste para te anunciares

Superando a Ansiedade

infeliz, sem nem sequer levares em conta que ainda és incapaz de decretar o que realmente é melhor para tua alma.

Se, apesar de tudo, olhas ao teu redor e não consegues enxergar motivos de ser feliz, agradece da mesma maneira e com muito mais empenho, afinal de contas estás de posse da melhor oportunidade que nada mais é do que a vida, a qual deixas, muitas vezes, passar sem ter a honra e a alegria de viver.

Além das ilusões

Trazes o espírito cansado, até muitas vezes atormentado.

Tens a esperança desgastada, o corpo oprimido e o coração vazio de amor.

Corres demais atrás das ilusões que o mundo te oferece com irrestrito poder de sedução.

É óbvio que sonhas e lutas para realizar tudo a que te propões, mas não te permitas escravizar a alma a tantas coisas sem as quais podes muito bem viver.

Não te inquietes e nem te revoltes pelos desejos que não puderes alcançar.

Usufrui das ilusões, sem, no entanto aprisionar o teu espírito a elas.

Recorda que a Terra é apenas uma estação de passagem e aprimoramento.

Conquistarás muito mais, se, passando pela vida, o fizeres com mesura e gratidão.

Somente assim, chegado o instante de tua partida, não serás retido pelas amarras, muitas vezes resistentes, das posses conquistadas, e a morte apenas representará a mudança de dimensão. Partirás com a suavidade de quem viveu, como pôde, com o que tinha, na certeza de que nada levaria consigo. E despontarás, de alma livre, além de todas as ilusões, na realidade serena da vida verdadeira.

Anjos tutelares

De aparência frágil, ingressam no mundo, carregando consigo um toque muito especial de Deus.

Se acuadas, podem ter a força de um leão. Conseguem tirar riso e esperança da dor. Varam muitas noites em vigília e vencem o desgaste para enfrentar os dias, sempre com zelo e amor.

Se doentes, têm o ânimo de se erguer a favor daqueles que julgam necessitar do seu cuidado.

Sabem, como ninguém, curar feridas de dedos pequeninos com um suave toque de seus lábios.

Conseguem transformar uma minúscula porção de comida na refeição de aparência farta que alimenta uma família inteira.

Têm um jeito especial de balsamizar corações feridos pela desilusão.

Têm um magnífico dom de ver e calar a fim de não constranger.

Mesmo analfabetas, são portadoras de imensa sabedoria, quando precisam usar de suas palavras para confortar e orientar.

Vemo-las em toda parte:

Nos trajetos das guerras, enquanto rugem os canhões,

são as únicas capazes de se ajoelhar e orar pelos seus filhos, mas também pelos inimigos, filhos de outras mães.

Vencem, impávidas, o frio das madrugadas atrás dos filhos desgarrados, muitas vezes perdidos em antros de vícios e criminalidade, sem temer o confronto com os adversários.

Nas portas das escolas, ansiosas, aguardam os preciosos tesouros de suas almas, estreitando-os em seu peito amorável.

Nos hospitais, velam às cabeceiras onde a esperança desistiu de permanecer, lutando contra a morte que, insistentemente, tenta lhes arrebatar os filhos.

Nas penitenciárias, em dor profunda, não abandonam a prece, rogando por aqueles Espíritos que Deus lhes confiou aos sublimes cuidados e que, penetrando no crime, vivem a condenação, sem serem reeducados pela sociedade.

A Divindade deu a todas, pobres ou ricas, cultas ou ignorantes, um tesouro de igual valor e, junto com ele, reafirmou a Sua confiança na humanidade.

Esses anjos tutelares, pequenas grandes mulheres que se igualam ao infinito do céu, co-criadoras de Deus, trabalham a favor do bem e da dignidade de todas as almas, sofrendo e servindo sempre em nome de um amor incomparável.

Têm, como roteiro de jornada, a mais sublime de todas as mães, Maria de Nazaré, que sobre todas espraia suas bênçãos iluminadas de amor.

Ante um momento difícil

A Terra é o lar do aprendizado difícil para onde embarcam almas infinitamente amadas por Deus, em busca da regeneração.

Partem da casa espiritual, adornadas de amor e levam consigo muitos atributos a elas confiados pela misericórdia do Pai, para auxiliá-las na travessia.

Normalmente vão investidas de muita boa vontade e sabem dos riscos a que se expõem ante as investidas que o mundo, certamente, lhes ofertará, tentando desviá-las do seu caminho.

Imersas, no entanto, nos sentidos físicos, não percebem a necessidade de manter, através da prece, algumas janelas abertas para o infinito, a fim de não perderem o contato com o mundo de onde procedem e de não esquecerem a rota traçada com tanta dedicação e carinho.

Enfrentam grandes adversidades para se graduarem no intelecto, não medindo esforços na escalada dessa conquista acadêmica. Extenuam-se nas lides profissionais para atingirem objetivos sonhados, perdendo-se muitas vezes na vaidade e na prepotência e deixando esvaírem--se horas sagradas de repouso e convivência junto aos familiares, reais estruturas dessa incomparável travessia.

Superando a Ansiedade

Acabam desvinculando-se de sua origem divina e aceitando-se apenas como corpos, que fatalmente irão perecer algum dia.

Assim sendo, entregam-se aos prazeres momentâneos, esvaindo energias que deveriam ser sublimadas a favor de suas almas.

Então, como último recurso, recebem a visita da adversidade que as faz recordar de onde tudo começou.

Ela não é o castigo arbitrário ou a punição efetiva, mas lição saneadora e terapêutica, por meio da qual descobrem que são infinitamente mais do que aquilo que tocam, pois suas almas procedem das estrelas e caminham pela Terra em busca da própria luz.

Ante o momento difícil, fecham as janelas ao mundo, a fim de , finalmente, abri-las para Deus, em busca do consolo e da misericórdia que nunca faltam. E Ele lhes mostra a grandiosidade da verdadeira vida.

Apenas o que possas

Querias ser um rio caudaloso, banhando a vastidão das margens até beijar o mar; se não podes, que sejas apenas o copo de água da fé a dessedentar corações ressequidos pela dor.

Querias ser a chuva que rega os campos, abençoando--os com a fertilidade; se não podes, que sejas a gota de orvalho de amor a confortar os corações aflitos.

Querias ter o poder de silenciar a violência e fazer cessarem as guerras; se não podes, que sejas a alma confiante que não perde a oportunidade de estimular a paz.

Querias ser o cientista descobridor da cura de terrível mal que assola a humanidade; se não podes, que sejas quem afaga o doente, tantas vezes solitário e desesperançado.

Querias ser a benemerência que ampara a orfandade no mundo; se não podes, que sejas, ao menos, a mão a cobrir, com dignidade, o desnudo do caminho, para ele não se sentir repudiado.

Querias ser um sol, cuja luz e calor pudessem aquecer a Terra; se não podes, que sejas a lamparina singela que vence a escuridão, levando a esperança às almas em aflição.

Querias ser um majestoso jardim a inebriar, com seu

Superando a Ansiedade

perfume, tudo que se encontra ao redor; se não podes, que sejas a flor da consolação aos deserdados da fé.

Querias ser o missionário a conduzir multidões pelo caminho do bem; se não podes, que sejas a alma tocada pela caridade, a erguer um irmão da desventura.

Querias ser o amor a abençoar a Terra; se não podes, que sejas alguém que nunca desistirá de amar, sob qualquer circunstância.

Por onde fores, que possas ser um farol, não pelo teu brilho, mas pelos exemplos legados e que estes se tornem rota para aqueles que querem estar com Jesus.

Aptidões

A cada ingresso na esfera carnal, trazes contigo compromissos que te permitirão desenvolver novas aptidões.

Acumulando valiosas experiências, vais crescendo como alma, que busca incessantemente a perfeição.

O caminho é longo e cada trecho percorrido deve ser preenchido com devotamento e amor.

O corpo físico, cadinho de experiências por vezes dolorosas, é imenso santuário do Espírito que deve ser cuidado com extrema dedicação e responsabilidade.

Não queiras abarcar grandes conquistas numa única vida, mas dá-te a oportunidade de amadurecer lentamente, assentando um terreno seguro onde possas trilhar futuramente para novas investidas no campo da evolução.

Reserva-te o direito de errar, sem excluíres o dever de vencer a ti mesmo, refazendo teus atos com amor, esperança e fé.

Ergue-te dos próprios tropeços e lembra-te de que, adiante, tu mesmo irás usufruir das conquistas de agora.

Sê grato por esta vida porque ela representa oportunidade reprisada de vencer as tuas limitações, descobrindo que és um universo inexplorado, onde

Superando a Ansiedade

tesouros incalculáveis se encontram enterrados, sob a sucata da ignorância, e aguardam o momento exato de brilhar.

E assim, ante cada etapa vencida com êxito, pelo menos mais uma aptidão resplandecerá como adorno eterno de tua alma.

Ausência do bem

Enquanto a penúria invade a Terra como carrasco inclemente conduzido pelas mãos de almas que também foram criadas pelo infinito amor de Deus, as lágrimas do céu banham os torrões do abençoado planeta, submetido ao orgulho, ao egoísmo e ao poder desmedido de homens que provam desconhecer sua origem divina.

Planos de evolução são postergados por anseios desmedidos, que lhes impõem caminhos de sofrimento totalmente desnecessários.

A Terra, como mãe, convulsiona-se de dor, reagindo com cataclismos de proporções descomunais, arrastando consigo vidas promissoras para novas experiências fora da carne, totalmente despreparadas para o intento.

Guerras arrastam países à destruição, sem se darem conta de que não haverá vitoriosos, pois todos serão derrotados pela própria forma como precisam mostrar que são mais poderosos.

Filhos matam pais, irmãos se destroem, lares se desfazem, cônjuges se agridem e a vida é totalmente menosprezada por meio do aborto em detrimento dos prazeres irresponsáveis.

Dizes que o mal impera em toda a parte e ergue

Superando a Ansiedade

sua saga conquistadora, como estandarte estampando o desânimo nos que lutam por serem bons.

Esqueces-te de que, em momento algum, Deus criou o mal para existir, através dos séculos, num duelo constante contra o bem.

O mal, que tanto temes, simplesmente não existe.

Ele pode ser definido como a ausência do bem. Do bem que tu podes e deves começar a fazer agora.

Que substituas o mal da dor pelo bem do bálsamo.

Que substituas o abandono pelo bem do amparo.

Que substituas o mal do egoísmo, pelo bem da solidariedade.

Que substituas o mal do desespero, pelo bem da esperança.

Não esperes mais e não te permitas viver ausente do bem, porque isso implica em ser, também, ausente de Deus.

Autoconhecimento

Não tenhamos medo de nós mesmos. Jamais procuremos o de que precisamos nos outros. Podemos encontrar tudo em nós mesmos.

Somos obra divina e fomos criados com total exclusividade.

Conhecer qualquer um ou até mesmo a todos, não significa conhecermo-nos ou equacionarmos as nossas dúvidas e problemas.

Somos um cosmos de amor, profundamente ignorado, a perder-se na penumbra do medo. Temos receio de estar a sós conosco.

Os apelos constantes, formulados pelo mundo nos habituaram a uma vida externa, afastando-nos do hábito saudável de estar com nós mesmos, por alguns instantes, a fim de refletirmos sobre a vida. O consumismo exacerbado nos engole as forças e nos impõe compromissos desnecessários, mas que exaurem todas as reservas orgânicas e espirituais.

Insensatos, vamos abandonando-nos ao desânimo, ao descontentamento, às fobias inexplicáveis, simplesmente por temermos interiorizar-nos para descobrirmos as

Superando a Ansiedade

infinitas possibilidades que dormitam em nosso âmago, fruto de nossas experiências transatas.

Silenciar em meditação profunda, exercitar a paz em alguns momentos diários, mentalizar o amor em movimento através das vibrações, eis o melhor campo para o cultivo do autoconhecimento.

Nesses instantes, angariamos preciosos recursos para abastecer a alma de vigorosas energias, que melhor nos estruturam a continuar com serenidade.

Serenidade que não seja sinônimo de amolentamento, porquanto ela é força de propulsão a nos dar condições de vencer as adversidades sem esmorecimento.

Na assertiva "conhece-te a ti mesmo", tão utilizada pelo sábio da Antigüidade, Sócrates, o ser encontrará meios de desvestir-se do homem velho, reformulará antigos pendores e desenvolverá aptidões até então ignoradas, para levar a bom termo o compromisso assumido no mundo espiritual, antes do mergulho na carne.

Não percas precioso tempo, analisando o que possuis, porque tua verdadeira e única identidade reside no que és.

Bênçãos ocultas

Porque não dedicas alguns momentos do teu dia, embora ínfimos, a estar com Jesus, é que te encontras sempre alquebrado e, em tão poucas vezes, sentes a força de que necessitas não só para seguir, mas, principalmente, para acreditar no quanto se importam contigo os bons amigos espirituais.

Muitas vezes, chegas a te anunciar desditoso porque não tomas conhecimento das bênçãos ocultas com que Deus coroa a tua existência.

A começar pelo universo do próprio corpo, quantas e quantas vezes, doenças que surgiriam sorrateiras, são abatidas pela agilidade do teu sistema imunológico, ante a intercessão espiritual, que potencializa as células responsáveis pela defesa orgânica.

Às vezes, vítima de um êxtase ou de uma distração momentânea, tomas outra rota, que não a costumeira, porque mãos invisíveis de amor te poupam do envolvimento em algum acidente, desvencilhando-te dos planos até então agasalhados.

E, ao invés de agradeceres, na maioria das vezes ainda te permites envolver pela revolta, afastando--te, compulsoriamente, do convívio suave e amigo da

Superando a Ansiedade

espiritualidade que se aproximou de ti no silêncio do anonimato para preservar a tua integridade.

A bênção de receber o carinho de um filho, o olhar seguro de um pai, a mão estendida de um amigo, aonde vais, refazendo os desafetos de outrora, estreitando laços sob a coordenação do maestro divino, é incessantemente ignorada por ti.

Nunca esqueças que a tua vida e tu mesmo são muito mais do que os teus olhos vêem. Sem criares o hábito de orar, te afastas despercebidamente de Deus e permaneces ignorando as bênçãos ocultas com que o céu brinda a tua existência.

Eulália Bueno

Bênçãos que não vês

Porque te habituaste à queixa contumaz e, muitas vezes, te compraz sentir-te vítima é que os teus momentos de prece se assemelham a longos petitórios e a outros tantos recitais, em que sugeres o abandono de Jesus e da espiritualidade, diante das dificuldades.

Acostumado a dominar e a pensar possuir o que tocas, pouco desenvolveste o dom de sentir e, portanto, desconheces as verdadeiras bênçãos que te envolvem a existência.

Julgas apenas a tua felicidade pelo que sonhaste e não atingiste, pelo que te acrescenta ao patrimônio material ou pelos lauréis que o mundo possa oferecer-te.

Será, por acaso, que, alguma vez, pensaste nas bênçãos que não vês e te passam despercebidas, a ponto de sequer supores que existem?

Será que te reconheces, tal qual és, criatura abençoada pelas inúmeras bênçãos a alcançar-te a existência nos mais diversos momentos e que chegam de forma tão sutil, impedindo acontecimentos funestos que poderiam mudar o curso de tua caminhada?

Por acaso, poderias afirmar de quantas dores morais foste poupada pela intercessão de mãos invisíveis que te sustentaram ante o grave momento da queda?

Superando a Ansiedade

Quantas vezes, vírus e bactérias foram combatidos no silêncio de teu corpo físico por um imenso batalhão de guardiões atentos, sob bênçãos invisíveis que te sustentaram a saúde física?

Bênçãos de amor que não detectaste, mas que fizeram a diferença entre o sorriso e a lágrima, o sofrimento e a alegria, quando, por motivo ignorado, alteraste o trajeto de todo dia, deixando de vivenciar um acidente ou uma contenda de alto risco que poderia inclusive custar-te a própria vida.

Por outro lado, há bênçãos que são confundidas com castigos porque ainda não entendes os desígnios de Deus.

Quantas vezes, a doença é, na realidade, a mão amiga retendo-te ao leito para que não sucumbas a uma prova difícil para a qual ainda te encontras desprevenida.

Talvez a ausência de emprego ou do cargo almejado, nada mais é do que o freio para não resvalares no abismo do orgulho ou da vaidade destruidores.

Quantas vezes a solidão não representa o abandono, mas o momento de reflexão a te permitir a retomada de um caminho novo, mais junto de Jesus.

E assim, segue o rol do amparo ignorado, aqui e acolá e ainda mais adiante e a todo o instante, como bênçãos que verdadeiramente não vês e pelas quais nunca agradeces, mas que são as únicas responsáveis pela bendita oportunidade de continuar vivendo, multiplicando as tuas chances de atravessar, o melhor possível, a reencarnação em que te encontras.

Bênçãos que se assemelham a carícias de Jesus, demonstrando-te que as mãos do próprio Mestre te conduzem pelas vielas de tuas dificuldades, resgatando-te do vale das sombras para ressurgires na luz.

Bendito esquecimento

A nossa ignorância, muitas vezes, não nos permite avaliar a grandiosidade da misericórdia de Deus, quando nos beneficia com o esquecimento.

Por sermos ainda muito pequenos e limitados, julgamos que a recordação do que fomos e fizemos seja de primordial importância para a nossa melhoria espiritual.

Ledo engano.

Assim pensamos, exatamente por crermos estar a felicidade somente no que não possuímos e que, se tivéssemos a oportunidade, mesmo remota, de vislumbrar uma fagulha do nosso passado, conseguiríamos descobrir o que precisaríamos fazer para sermos felizes.

Não entendemos que, talvez, tornássemos muito mais difícil a empreitada atual. Descobriríamos que voltamos a conviver, muitas vezes de forma mais estreita com os nossos desafetos e faríamos naufragar uma nova e primorosa oportunidade.

Quantas vezes, numa relação como pais e filhos, apesar de todos os débitos e fracassos que ainda não vencemos, conseguimos superar nesgas de ódio que nos fizeram resvalar no passado e que temos agora a chance de superar através do amor.

Superando a Ansiedade

Não precisamos saber quem fomos ou o que fizemos e não temos, na maioria das vezes, condições psicológicas para lidar com os distintos personagens que nada mais são do que nós próprios, em uma outra etapa.

Mas, se olharmos as nossas tendências e as nossas maiores dificuldades, isso tudo são evidências a delatar quem fomos, quem somos e a que estamos nesta vida.

Confiemos e sigamos amando, deixando rastros de luz diluírem, no bendito esquecimento, as tenebrosas sombras do nosso passado.

Carências

Quantas carências povoam de infelicidade o mundo. Há carentes de toda sorte e existem carências de todos os matizes.

Há os que carecem de alimento e veem seus corpos esfaimados ceder à míngua da morte, sem experimentarem a caridade de uma côdea de pão.

Há os que carecem de um teto, vivendo ao relento do amor e da solidariedade que os agasalhem.

Há os desnudos que seguem atirados à sarjeta e dos quais é tirada toda a chance de se erguer com dignidade.

Há os sedentos de justiça, enfileirados nas múltiplas necessidades, cultivando o ódio e a revolta em seus corações.

Esses são alguns dos carentes materiais para os quais o mundo oferece raras oportunidades.

Há, também, os carentes de paciência que se julgam tão privilegiados a ponto de não aceitar aguardar a vez numa fila, respeitando direitos e necessidades.

E os carentes de humildade que se consideram superiores a todos os demais e se declaram os mais capacitados para sempre tomar as decisões.

E os carentes de amor que vivem a solidão de não ter

alguém que os afague, porque nunca experienciaram a troca afetiva que a todos brinda com a reciprocidade.

E os carentes de luz que margeiam, apesar do intelecto, muitas vezes brilhante, as estradas da ignorância moral.

Mas, acima de tudo, há os carentes de Deus, que, por não serem capazes de enxergar a sua pequenez e a fragilidade da vida física, andam perdidos no fausto que o mundo lhes oferece. Como verdadeiros fantasmas, caminham em trevas, por ausência da fé, a qual, fazendo-os sobrepujar tudo que é efêmero, lhes mostraria um caminho infinitamente maior, onde poderiam encontrar-se, encontrando Deus.

Caridade

Não desperdices a oportunidade abençoada de fazer a caridade.

Não a dispas de amor para que não seja transformada num simples ato de benemerência ou numa esmola humilhante.

Preocupa-te em fazer com que, à frente das mãos, siga o coração a envolver o irmão carente no gesto espontâneo do sorriso fraterno e da palavra consoladora, enfeitando a dádiva de servir.

Lembra-te de que a situação do pedinte, por si já é constrangedora e muito mais do que te pede, ele precisa do teu respeito e carinho.

Poupa-o da arrogância e não lhe imponhas um abismo entre a tua condição social e a dele.

Recorda-te de que a diferença entre tu que dás e ele que pede está apenas no momento presente.

Se hoje és o que dá, não podes afirmar que nunca pediste ou se serás, algum dia, o necessitado a rogar comiseração.

Se conseguires por um instante apenas transportar-te àquela situação de extrema penúria para avaliar-lhe a mísera condição, verás que são exatamente iguais as almas perante a dor.

Superando a Ansiedade

Se levares Jesus no coração, ao estenderes as mãos, delas fulgurarão luzes, como estrelas cintilantes a eternizar esse ato de amor no céu de tua própria alma.

Como queiramos enxergar

Torna-se óbvio que, diante de todas as dificuldades ainda tão comuns às nossas almas, tenhamos muito mais inclinação em ver o mal que nos cerca do que o bem, que, com imensa resistência de nossa parte e com profunda dedicação dos amigos espirituais, chega até nós, impedindo muitas vezes, o soçobrar de nossa existência.

Há, porém, os que insistem, categoricamente, em apontar o mal como força dominadora na Terra, condenando-nos ao exílio eterno e martirizante, onde nunca vigorará o amor, nem a paz.

E se assim queremos enxergar, assim será por longas eras, até que desacostumemos o coração de persistir nas facilidades da ilusão, oferecendo campo à influência irrestrita dos Espíritos abrigados na ignorância, dos quais rapidamente acatamos as sugestões malévolas que encontram eco em nosso íntimo, ampliando os quadros de dor e angústia que povoam a Terra.

Não conseguimos ainda enxergar que, do outro lado, Espíritos extremamente devotados ao bem lutam por nos envolver os ímpetos agressivos, procurando inocular-nos

Superando a Ansiedade

o amor e o bem sem encontrarem pronta ressonância em nossos corações já tão desacreditados na vitória da justiça e da igualdade no planeta.

Influenciam-nos à prece e à meditação, a fim de favorecer-nos o encontro com Jesus, reavivando-nos a fé e o ânimo, tornando-nos prontos a vencer novos embates que se estabeleçam, sem esmorecimento, permitindo-nos galgar patamares superiores de esperança.

Tudo está em nossas mãos. Assim será como queiramos enxergar. Feitas as escolhas, estabelecemos metas e caminhos para cada um de nós, conduzindo-nos à escravização dos sentidos ou à liberdade da alma.

Tomara que, mesmo em meio às trevas, escolhamos enxergar a luz dos Espíritos abnegados, convidando-nos a seguir adiante e a permanecer no bem, sempre.

Consciência e vida

Ajustados às engrenagens do corpo físico, em meio às necessidades que se impõem a cada dia e sem criar o hábito saudável de buscar um contato mais íntimo com o Criador, a criatura vai se esquecendo de sua não-permanência na vida física.

A par disso, exagera em atitudes e passa a depredar vastas oportunidades de soerguimento que lhe são oferecidas.

Mergulha, inúmeras vezes, nas conquistas vãs, despreza os sentimentos e sempre estabelece as relações de afeto de acordo com seus interesses imediatistas.

Atende a posturas menos dignas, freqüentemente, para apresentar condições de pleitear cargos e posições ainda mais fugazes que a própria vida.

Negligencia o convívio familiar, queda-se no desculpismo de que ser pai é prover necessidades materiais julgadas prementes, em detrimento da relação afetiva. Aquinhoa os filhos com mimos extremos, encastelando, no egoísmo, almas já portadoras de desvios de conduta considerados graves, adquiridos em experiências transatas e que poderiam ser sanados com um pouco menos de dinheiro e um pouco mais de amor.

Superando a Ansiedade

As mulheres-mãe que, a título de igualdade entre os sexos, relegam suas funções ímpares a substitutas despreparadas e desvinculadas afetivamente dos entes necessitados de empenho e dedicação, deixando-os ao abandono de uma formação moral que deveria ser primorosa, para funcionar, nos anos vindouros, como antídoto à violência, aos vícios, ao consumo desregrado. E homens atônitos, com quase nenhuma referência de Deus, tentarão conduzir a vida, como algo totalmente sob o comando dos seus caprichos e, não o conseguindo, poderão derrapar, tragicamente, pelas portas do crime e do suicídio.

Que haja uma consciência maior da vida, da religião e de Deus, a fim de que se atravesse a existência física, entendendo-a como uma jornada a qual se deve viver sem apegos. A qualquer momento, os liames podem-se romper e liberar espíritos aturdidos e desgastados, sem condições de retornar à espiritualidade privados das posses pelas quais tanto lutaram e, apenas, portando na bagagem defeitos, porque virtudes esqueceram de cultivar.

Lembra-te, portanto, de que és uma alma albergada, temporariamente, num corpo. Sem esquecer isso, cuida dele com zelo e gratidão, mas desperta para a realidade de que, como Espírito imortal, teu destino é seguir adiante na conjuntura de novas vidas, uma vez que tua origem é eterna e divina.

Construções da fé

Julgando-te uma alma previdente, percebemos que procuras não descuidar, em momento algum, no zelo com os recursos que possam te garantir a existência material diante de um obstáculo difícil e duradouro.

Usas da previdência para garantires o sustento, cercado, se possível, de alguns acréscimos de conforto no transcorrer dos dias menos felizes.

E, não poucas vezes e para muitas pessoas, vemos esses dias surgirem aqui e ali, por intermédio de dificuldades diferentes, mas igualmente dolorosas, encontrando o ser guarnecido de recursos materiais para auxiliá-lo na travessia complicada, sem perder o prestígio conquistado no meio social em que habita, mantendo as aparências de júbilo para que ninguém tome conhecimento de sua desdita, o que, por certo, o humilharia perante seus compares.

Porém, portas da alma adentro, na residência abastada, encontramos criaturas solitárias e quase sempre revoltadas pela adversidade que as atinge e julgam não merecer.

São, muitas vezes, pessoas que ergueram invejável patrimônio, totalmente depreciável pela ação do tempo, vazio de construções íntimas, principalmente de fé. A fé lúcida e raciocinada que poderia ofertar-lhes provisões seguras para muito além dos organismos frágeis. Recursos que somente a alma conquista, capazes de elucidar tantas dúvidas surgidas no transcorrer das experiências angustiantes e que mais parecem os açoites dolorosos de um castigo imposto.

Apenas na construção segura da fé, o homem pode abrigar-se das intempéries morais e materiais, angariando forças para vencer o mundo que o acolhe momentaneamente, partindo, um dia, seguro e sereno de que somente deixou para trás o que era plenamente dispensável.

Cristo espera por ti

Não te detenhas mais.

Ante os caminhos equivocados por onde tantas vezes insistes em caminhar, não imobilizes a marcha de ascensão ao bem.

Recorda que, no suceder das reencarnações, experienciaste novas oportunidades as quais, com certeza, te acrescentaram mais sabedoria.

Que tudo quanto viveste não seja o suficiente para te fazer perder o ânimo diante da vida nova que te convida a sublimes realizações.

Olha ao redor, contabiliza os bens conquistados e segue adiante.

Se perceberes que o mal enxameia as almas, faze o bem multiplicar-se ainda mais em ti.

Se as lágrimas teimarem em correr no rosto alheio, que sejas aquele a usar de bondade para estancá-las. Se percorrerem os vincos sofridos da tua própria face, deixa que se transformem em orvalho de luz, regando as flores de esperanças novas.

Se por onde andares somente encontrares pessimistas, mostra o otimismo dos que seguem com Jesus.

Ante a desesperança, sorri e aponta um caminho novo.

Superando a Ansiedade

Não te permitas encontrar adjetivos para justificar a tua omissão.

Se o caminho for árduo, as tuas possibilidades serão infinitas, por isso não te permitas estacionar.

Ante os erros ou pendências reconhecidas, não te amargures na vivência do remorso, mas adianta-te a recuperar a dignidade o quanto antes pela perseverança e pelo amor.

Não te detenhas perante um passado que só deve servir por referência sobre o que precisas mudar hoje, a fim de construíres um amanhã melhor.

Não te aprisiones em sonhos para um porvir, que se não forem construídos agora, simplesmente não existirão.

Se tiveres que optar por engrossar fileiras, que sejam as dos servidores do bem, em nome de Jesus.

Apressa-te ainda mais a partir de agora.

Não estanques a jornada redentora.

Nunca deixes de lutar.

Não te permitas abater pelo desânimo.

Não temas o mal.

Não abandones o bem.

Nunca desistas do amor.

Avança, na certeza de que o Cristo espera por ti.

Dádiva de luz

Será que consegues aquilatar o verdadeiro valor da oportunidade chamada reencarnação?

Será que podes imaginar que, ao redor do abençoado planeta que te acolhe, bilhões de Espíritos, em atrozes aflições, dariam tudo para ocupar o teu lugar, mesmo mantendo todas as condições em que vives?

Sabes o que representa para o Espírito a chance de se abrigar num corpo físico em que poderá pôr em prática todo seu aprendizado?

Sabemos que nem tudo atende as tuas expectativas, que, na maioria das vezes, os compromissos do mundo te extinguem as energias, levando-te ao cansaço extremo e que te deixas abandonar no leito convidativo, quando a noite abraça o teu dia, sem ao menos te lembrares de Deus.

Reconhecemos que as atribulações te esgotam muitas vezes a esperança e geram explosões de revolta, fazendo com que desejes desertar, mas nunca esqueças:

Que vives agora a melhor oportunidade de crescer e evoluir.

Que todos os dias deves agradecer aos que caminham lado a lado contigo, mesmo que em situações antagônicas, pois eles são a mola propulsora da tua evolução moral.

Que as contrariedades são freios abençoados a impedir que resvales outra vez pelo abismo da imoralidade.

Que os amigos que, aparentemente, desertam de tua vida já cumpriram o seu papel e deixaram as sua lições, às vezes muito amargas, mas sempre necessárias.

Que a doença e o ferimento limitador podem ser impedimento planejado, a fim de que possas estagiar na reflexão e, por necessidade, aproximar-te de Deus, a fim de que não te sintas tão a sós e valorizes a mobilidade.

Que o desemprego pode ser a lição dolorosa para descobrires que podes viver com infinitamente menos e mesmo assim ser feliz.

Que a separação amorosa te ilustra o verdadeiro valor do amor e do respeito ao próximo.

Que a partida repentina do ente amado te relembra a fugacidade da existência e o valor de cada hora.

Que a lágrima de tristeza recorda-te o quanto vale um instante de alegria.

Que a beleza da flor que encontras na natureza te comprova quase nada precisares para sobreviver com majestade e que a flor ceifada para enfeitar o teu lar mostra-te ser possível, mesmo na adversidade, perfumar a existência dos que nos cercam, com o nosso exemplo.

Mas a morte... ah! a morte, se nada mais te exemplificar, só ela te poderá dizer quanto vale estar de posse da vida.

Débitos

Não há quem caminhe isento de débitos de toda sorte. Não existe uma única criatura que se encontre quite com a sua consciência.

Quando devemos a nós próprios ou ao próximo, estamos devendo à consciência cósmica. Ofendemos a harmonia do universo, transgredimos o equilíbrio da Lei de Causa e Efeito e arcaremos com as devidas responsabilidades. Porém, não necessariamente deveremos ressarcir por meio do sofrimento, porque, na realidade, o nosso caso não é de punição, mas de reeducação.

Essa é a finalidade maior da reencarnação, acalentada pela misericórdia do esquecimento, a fim de termos a bênção do recomeço e não nos atormentarmos ante as nossas vítimas do passado ou nos atemorizarmos diante dos algozes.

No embalo de um berço, podemos dormitar nos braços de devedores, alimentar-nos do seu seio e ofertar--lhes sorrisos de gratidão e encantamento, usufruindo das benesses do amor, a fim de asfixiarmos as raízes do ódio.

Já evoluímos o suficiente para compreender que as labaredas eternas do inferno e a inquietude do purgatório dissolveram-se nas brumas do amor e na misericórdia do Pai.

Superando a Ansiedade

Estamos de posse do presente, nosso bem mais precioso em prol da transformação moral.

Cada gesto, cada palavra são construções para o dia que surge quando podemos refazer o passado, superar os erros cometidos, transformá-los em verdadeiras lições de amor que irão alicerçar-nos o futuro.

Nunca condenemos e nem nos vitimemos, mas trabalhemos sempre.

Temos o tesouro da vida como oportunidade bendita de refazimento e, portanto, não a desperdicemos outra vez.

Onde estivermos, em qualquer situação, por mais difícil se apresente o instante vivido, possamos agradecer e sorrir na certeza de que Deus segue conosco.

Deixa de pensar pequeno

O Universo é plenamente construído de harmonia e luz. A grande fatalidade reservada a todas as almas é sempre o bem e o amor. Esse é o princípio real da felicidade que todos buscam de forma equivocada, enquanto estão no caminho que segue distanciado de Deus.

Não se supõe como alguém, que seja herdeiro desse universo, caminhe pelas sombras da ignorância.

Não se pode conceber que existam trevas no céu estrelado das almas.

Não se acredita que haja frieza e aspereza no coração dos seres que herdarão o calor do sol e a suavidade da lua.

É difícil entender que os Espíritos criados para as coisas infinitas, por livre vontade, se aprisionem àquelas que são tão pequenas e sofram por opção.

Quem disse que é necessário tanto desgaste físico, mental e emocional para adquirir uma casa ou um carro que logo mais não atenderão às expectativas novas?

Para que tanto cansaço em torno das posses documentadas se a morte impede que se levem as escrituras, os documentos de uma propriedade que a outro, em breve tempo, pertencerá?...

Por que se apegar a necessidades tão desnecessárias,

Superando a Ansiedade

criadas apenas pelas imposições do egoísmo e do orgulho?

Para que tanto? Se precisas tão pouco para que te desgastares, a ponto de não poder apreciar a beleza de uma hora, o transcorrer de um dia ou a grandeza de um único instante que poderá ser eternizado em alegria ou dor, dependendo da posição pela qual irás optar?

Aquele que sabe a sua condição de herdeiro do Pai, usufrui de tudo que tem sem se deixar dominar e, mesmo que nada possua, olha o céu convencido da sua verdadeira riqueza e segue adiante grato pela vida que é realmente o seu maior tesouro, sem deixar que ela passe inútil.

A Terra é um destino apenas na grandiosidade dos mundos e a vida, uma bela viagem que, muitas vezes, perde o seu sentido maior porque o viajante distraído, tomado pelas fragilidades do possuir, simplesmente esquece de vivê-la.

Descansa em paz

Afirmativa daqueles que ainda se encontram distantes de entender a realidade da vida estuante que se abre muito além do horizonte da morte, fazendo com que muitos corações se aflijam pela ausência dos que partiram.

Lembra-te dos que foram caros ao coração, como almas libertas do fardo físico, num esforço de adaptação à vida nova, porém sem deixar de ser o que sempre foram quando caminharam junto de ti.

Também, não te esqueças de que eles seguem movidos por novos sonhos e objetivos para os quais contam com a tua aceitação e acima de tudo, amor.

Seja por saudade ou egoísmo, não lhes turves os anseios, exigindo-lhes que permaneçam contigo numa vida que já não podem continuar vivendo, porque se encontram desapegados dos interesses agora somente teus, por estares investido dos compromissos que o mundo te impõe.

Quanto mais os amares, tanto mais os libertarás, para que possam seguir fortalecidos pelo amor que lhes devotas, pois não jazem num descanso eterno que nada tem a ver com a vida que, na Terra ou fora dela, impulsiona a alma a evoluir na direção de Jesus.

Descansa, sim, as cobranças que lhes fazes e doa-lhes

Superando a Ansiedade

o melhor de ti pelos elos do coração, por intermédio de prece sincera que, ao irradiar a luz do teu sentimento de amor e gratidão, iluminar-lhes-á a alma.

Diante da morte

Diante da aparente perda de alguém que amas, não te permitas invadir pelo desespero e não duvides da misericórdia de Deus.

Lembra, antes de tudo, que a dor que agasalhas pela ausência física do teu afeto, talvez seja semelhante à que segue com ele diante do impositivo de deixar-te.

E nesse instante, mais do que em qualquer outro, é necessário vos ampararem mutuamente, fortalecidos pelo amor que vos une.

Busca na prece a força para continuar e para entender que a reencarnação surge para o Espírito como oportunidade de aprendizado, cujo ciclo tem seu tempo de se extinguir.

Não penses que a tua existência dure o suficiente para te atender os caprichos e anseios. Não deixes tudo no campo dos planos para os quais não direcionas ações no intuito de realizá-los, sob pena de partir antes do previsto.

As coisas em tua vida seguem um cronograma divino e acontecem no tempo de Deus, não no que estipulaste.

Agasalhando a perspectiva de que podes partir a qualquer instante, sem te prender doença prolongada ou sem receberes aviso prévio, procura agir no bem que este virá, primeiro, a teu próprio benefício.

Superando a Ansiedade

Se, no momento, experimentas a separação de um ente amado, aplica-te mais a oferecer-lhe os lauréis de tuas conquistas, efetuadas em nome do amor e eleva a Deus a prece de eterna gratidão pelos momentos em que te permitiu fruir do convívio amorável, guardando ternas recordações de cada instante.

Nunca te esqueças de que, além da chamada morte, embora tudo te leve a crer numa rude e definitiva separação, a vida continua fervilhante. Aí, com certeza, aquele que amas vive e serve, aguardando o dia do reencontro.

Por agora, deixa que a tua reencarnação siga o seu curso, oferece a quem partiu o que tiveres de melhor, em nome do amor, sentimento maior a te sustentar o coração nessa hora difícil, e vive no bem o quanto possas, a favor de ti e daquele que te é tão caro.

Diante da vida

Diante da vida, não raras vezes, posicionas-te como a criatura débil, angustiada e doente, sobrecarregada pelo peso das aflições do mundo.

Esqueces-te de que a nenhuma criatura Deus delegou tamanho sofrer.

Entregou-te, sim, em plena confiança, aquilo a que te dispuseste, munido pelos dons que já conquistaste, porém reforçado por uma generosa dose de amor, ofertada pela presença de Espíritos amigos, verdadeiros anjos tutelares a te impulsionarem o ânimo.

Se diante de ti erguem-se temíveis obstáculos e te descobres incapaz de transpô-los, és vítima de vasta ilusão.

Deus não te abandonou à própria sorte e nem te ofereceu um fardo que não pudesses suportar.

És herdeiro do universo e, mesmo que atravesses as penumbras do desencanto, onde povoam problemas infindáveis e atemorizadores, tu és luz provinda do Pai e, por isso, capaz de diluir as trevas e seguir adiante.

Por que não acendes essa luz em ti, acalentando o coração na sinceridade de uma prece, a fim de descobrires que, diante da vida, és infinitamente mais forte do que pareces e que os problemas surgem e nada mais são do

Superando a Ansiedade

que lições a exigir-te a revisão necessária ao definitivo aprendizado que outrora negligenciaste?

Não te acovardes e nem tampouco penses em desistir, pois, se a estrada continua, ela com certeza te convida a continuar também, mesmo porque não podes permanecer como a semente que caiu à beira da estrada e serviu de alimento aos pássaros, deixando de frutificar.

Se caíres, ergue-te, se chorares, alivia-te, mas, em momento algum, te deixes ficar, pois, enquanto isso a vida passa e, diante dela, não podes ser mero personagem secundário e inexpressivo. Ela espera que sejas o protagonista de ventura promissora que te conduza ao Pai.

Doenças e doentes

No resplandecer do novo século, vemos o homem acadêmico da área da ciência, em luta ardorosa contra os males que surgem e também contra outros declarados extintos que recrudescem cada vez mais, exigindo esforço e aprimoramento para devassar as causas e reforçar as terapias disponíveis, a fim de salvar vidas. É luta quase insana contra a morte que, resoluta e atemorizante, a todos permanece desafiando, porque lhes acena com um fim que mais representa uma derrota às suas inteligências brilhantes.

O homem, porque teima em se afastar de Deus, esquece-se, constantemente, de que é um Espírito imortal, usando, momentaneamente, um corpo físico, instrumento capaz de absorver de sua alma o que, até então, não conseguiu vencer, tornando suas mazelas morais visíveis, em forma de doenças .

Assim é que busca, desesperadamente, contornar os efeitos que se concretizam em seu implemento biológico, sem atinar com as causas que residem em sua própria alma e que lhe demonstram, efetivamente, a necessidade de imperiosas mudanças morais a lhe cobrarem o exercício sublime do amor, como a cura real das afecções.

Atordoado por tantas dores, corre de um lado a outro, visitando todas as religiões e lançando mão de todas as terapias, em todos os ramos da ciência, mas, infelizmente, ainda hesita em procurar o sublime médico de almas, Jesus, terapeuta do amor por excelência, junto a quem, com certeza, encontraria a definitiva cura para todos os seus males.

Teme que o Mestre lhe advirta que não deve tornar a pecar, e lhe cobre um alto preço pela cura desejada. Antes de ter a doença, é ele, o próprio doente, que insiste em não modificar a sua conduta moral, vírus a inocular-lhe todos os males de longo curso que causam tanta dor e angústia, exatamente por negar-se a voltar, pelos mesmos caminhos, para corrigir seus erros e, semeando o bem em toda parte, alcançar a grande e definitiva cura.

Dor sublimação

Agita-se o imenso bloco de mármore ante a dor que o cinzel lhe impõe. No entanto, consola-se ao descobrir que, dentro de si, existia tamanha beleza, exposta somente pelos golpes certeiros do artista.

O diamante bruto, ante a forja da lapidação que mais parece consumir-lhe a estrutura preciosa, a princípio não consegue divisar a imponência do brilho que atingirá, deleitando os olhos de quem o admira.

A semente pequenina, agasalhada na mínima sepultura do solo a ela destinada, acredita-se condenada a morrer na escuridão, sem imaginar que, em breve, romperá a camada de terra e, ávida de luz, erguer-se-á rumo ao sol, transformando-se na árvore vistosa, adornada de flores e frutos, ofertando a bênção da sombra repousante aos viajores do caminho.

A lagarta disforme e rastejante, sem cativar nenhuma atenção, agasalha-se num casulo, que mais se assemelha ao túmulo, para despontar nas asas cintilantes da borboleta que embevece o olhar e desfruta do perfume das flores, em dias primaveris.

E tu, alma querida? Tantas vezes te julgas dispensada do amor e da misericórdia de Deus e te acreditas só e atormentada, sofrendo os golpes dos obstáculos e do infortúnio, sem crer num porvir iluminado. Tenta divisar o cinzel divino, nos caminhos das experiências dolorosas. Ele esculpe, em ti, o anjo que, um dia, surgirá como gema lucilante e preciosa a compor o colar das estrelas que brilham no universo de Deus.

Dores cruéis

Espíritos, ainda não evoluídos, pautamos para nós caminhos de agonia e dor.

Teimando em ignorar a nossa imortalidade, vamos carreando conosco um magnífico acervo de deficiências, sem lograr tempo para nos reformularmos.

Buscamos Jesus para ele nos dar solução definitiva aos nossos problemas, jamais para renovarmos nele as forças a fim de que continuemos lutando.

Nos flagelamos, incessantemente, chafurdando-nos na consciência de culpa, alargando horizontes de penumbra, sem conseguirmos compreender que não é porque criamos um passado de trevas que estamos condenados a usufruir um futuro igualmente escuro.

Transformar sombras em luz, eis a grande lição que viemos para aprender.

Jesus nos disse, em sua magna sabedoria, que somente o amor poderia aplacar a multidão de pecados, assim sendo, somente exercendo o amor, estaremos reformulando nossos atos de outrora.

Temos o dom, embora não percebido, de iluminar os próprios caminhos, refletindo essa luz nos corações daqueles que nos cercam, porém não somos ainda almas

Superando a Ansiedade

despertas para esse bem que tanto sofrimento poderia nos poupar.

Precisamos compreender que a dor não é um caminho único em nossa ascensão espiritual. Ela é, na realidade, o último deles, mas, infelizmente, o mais utilizado por todos.

Insistimos em seguir por ele, impondo aos outros e a nós mesmos dores acerbas, sob a ação da teimosia e, principalmente, do descaso com a nossa alma, ofuscando, assim, sobremaneira, a luz que, sabiamente, Deus colocou dentro de cada um de nós, para que nunca caminhássemos em trevas.

Que aprendamos a caminhar junto ao bem, a fim de nos pouparmos das dores cruéis e permitirmos que brilhe, cada vez mais, a nossa própria luz.

Dores da alma

Se te preocupas, incessantemente, pelo que possa acontecer ao corpo que te sustenta a vida, não esqueças que ele é apenas o reflexo passageiro da alma que és.

Não empenhes tanta energia a fim de reabastecê-lo de coisas fugazes, esquecendo do combustível da fé imprescindível a essa importante travessia chamada reencarnação.

Valorizas, adequadamente, os cuidados da medicina preventiva, buscas por todos os meios à disposição, manter o equilíbrio da saúde física, não dispensas, no entanto, todo esse apreço para com tua alma.

Se o médico representa a máxima autoridade a garantir-te o bem-estar do equipamento fisiológico e, sem hesitar, lhe segues as recomendações, por que não crias o hábito de buscar o médico de almas, Jesus de Nazaré, não somente nas horas de aflição, mas em todas as oportunidades?

Assim, abasteces-te de ânimo e perseverança e podes oferecer, como reflexo de tua alma sadia, a saúde ao teu corpo de carne, que não deixa de ser um elemento útil, mas, a seu próprio tempo, dispensável.

Superando a Ansiedade

Não te esqueças tanto das dores infinitas da alma que, muito além de xaropes e comprimidos, só alcançam a verdadeira cura pelo lenitivo do Amor.

Em resgate

Se te encontras sob o doloroso crivo do resgate, não te sintas uma criatura deserdada do amor e da misericórdia de Deus.

Recorda que a Terra, muito mais do que um aglomerado geológico é uma abençoada escola dirigida por Jesus, com a finalidade precípua de instruir a todos.

Muitas vezes, diante da dificuldade de aprendizado, és obrigado a repetir a mesma matéria, a fim de venceres o obstáculo, sem o perigo de retroceder diante dele, adquirindo débitos dolorosos que te custarão muito mais lágrimas amanhã.

O teu sofrimento diante do aprendizado denota a incapacidade de armazenar os ensinamentos administrados anteriormente.

Não retornaste à aula como castigo pela falência experimentada, senão, antes de tudo, porque o Mestre, professor incansável, continua apostando em tuas possibilidades, renovando-te, incessantemente, a matrícula.

Está em tuas mãos não permitir o naufrágio da chance nova, ante o impositivo da perseverança e, principalmente da humildade de reconhecer que não tiveste condição de resguardar a matéria que ora revisas, de maneira adequada.

Superando a Ansiedade

Diante disso, Jesus te povoa a existência de valorosos e abnegados instrutores que seguem os teus passos, doando-te lições inesquecíveis, seja através do exemplo da própria conduta ou da cobrança de doses extras de paciência e abnegação, a fim de que possas polir as arestas do teu Espírito, libertando-te da canga das aflições.

Não deixes passar em vão tamanha oportunidade, mas aproveita cada minuto para ilustrares tua alma na matéria da conduta ilibada, transformando-te num precioso servidor do Cristo.

Emoções tumultuadas

Restringes a tua vida diária a lidar de forma exaustiva com os problemas que julgas te atormentar.

Não medes forças, nem empenho para atingir o êxito pleno sobre todas as condições adversas que te chegam.

O teu raciocínio mais parece o tropel de um cavalo selvagem em disparada e o suceder das decisões não te permite fornecer um segundo sequer de repouso à mente que se encontra, muitas vezes, desgovernada pela insensatez.

Em muitas ocasiões, esqueces do refúgio de uma prece e muito mais de recordar a presença dadivosa de Jesus a te possibilitar refazimento e paz.

Segues, assim, por uma estrada tortuosa onde as emoções tumultuadas são o sinal marcante da tua passagem.

Não te dás conta de que são exatamente elas que te tornam acessível às sugestões de Espíritos infelizes, atraídos ao teu convívio, exatamente porque desconheces a importância de te refugiares na prece, no transcorrer dos momentos em que as dificuldades surgem, solicitando-te atenção para soluções imediatas.

Tornas infausta a participação dos Espíritos

Superando a Ansiedade

benevolentes que, muitas vezes, embora a teu lado, não conseguem acesso à tua mente, tampouco ao teu coração.

Não te esqueças de que, diante do perigo, da incerteza, do desespero, deves, em primeiro lugar, estagiar na reflexão para fortaleceres a ponte que te liga ao mundo espiritual.

Assim, poderás haurir novas possibilidades de trajeto, mais otimista, mais esperançoso, mas, acima de tudo, terás a certeza de que nenhum caminho é em vão e que tu podes, sim, diante de qualquer circunstância, permanecer senhor das tuas escolhas, tanto quanto das companhias pelas quais optes.

Segue orando e abrindo espaços para que as obras do bem possam ser concretizadas por meio de ti.

Enfermidades e evangelho

As enfermidades batem à tua porta como cobradores desalmados, para levar-te o mais precioso bem.

Na maioria das vezes, elas são fruto da tua invigilância com os limites do próprio corpo, submetendo-o a cargas desnecessárias, porque ainda permaneces aprisionado às convenções do mundo.

Dificilmente, consegues perceber que o implemento físico é uma bênção incomparável a ti ofertada para que possas adquirir novos e imprescindíveis aprendizados a fim de prosseguires a jornada.

Ao invés de estacionares, diariamente, na prece e na reflexão para refazeres as energias vitais, deixa-as esvaírem-se, desavisadamente, colocando em risco a tua saúde.

Por falta de opções, muitas vezes, és visitado pelas doenças com o propósito de estacionares algum instante a meditar sobre o valor da vida.

Se te encontras distanciado de Deus, as recebes como tragédia inadiável e, cercado de desesperança, rendes-te a elas de forma incondicional.

Não consegues perceber que as dores, sentinelas atentas que acompanham as enfermidades, guardam a

Superando a Ansiedade

magna condição de trazer de volta à tua alma a necessidade de estar com Deus.

De função expurgadora, expressam-se através de tua aparelhagem fisiológica para dignificar-te o espírito endividado e muitas vezes abatido pelo remorso percuciente.

A medicina oferece-te o lenitivo, mas o Evangelho dar-te-á a cura, pois ele é o único medicamento capaz de atingir a tua alma, genitora de todos os estados em que se encontra o teu corpo.

A medicina abranda-te as feridas físicas, porém o Evangelho dulcifica os sentimentos desequilibrados.

A medicina renova-te as forças biológicas, mas o Evangelho fortalece a tua alma.

A dependência do médico não é apenas o recurso para a recuperação de tua saúde física, mas é o caminho que, mesmo lentamente, pode te aproximar de Jesus.

Enquanto dormes

Se te sentes plenamente realizado por aquilo que conquistas junto ao mundo, és uma alma adormecida.

Não conseguiste ainda perceber que essa estada é efêmera demais para merecer o melhor de tuas forças e a mais ampla entrega de teus ideais.

Lembra-te de que a reencarnação é uma viagem com início e fim estabelecidos.

Vive-a com sabedoria, sem dispensar, é claro, os benefícios que ela possa te oferecer, mas não mergulhes nela a tal ponto que esqueças que não pertences à Terra e que não és, apenas, o instrumento físico que te serve de veículo de manifestação. Lembra, porém, acima de tudo, que és um Espírito imortal, servindo-se do corpo para vivenciar uma nova experiência.

Recorda que tens uma vinculação divina e, ao passar pelo mundo, o fazes atendendo a um compromisso de ordem evolutiva de grande amplitude e não para te manteres aprisionado às meras necessidades fisiológicas e aos desejos passageiros que nada te acrescentarão.

Percebe, em meio ao tumulto por onde segues, a eterna presença de Deus, nas mínimas coisas que te cercam, seja no desabrochar de uma flor, no tamborilar da chuva no

Superando a Ansiedade

telhado, das árvores balouçando ao sabor da brisa, no vaivém das ondas do mar, nos dias ensolarados que te aquecem a alma ou nas noites estreladas, a desvanecer-te as sombras íntimas.

Deus também se faz presente em teu lar, na figura paternal ou no filho que te sustentam as forças para permanecer na luta, no cônjuge a envolver a tua existência em carinho, mas também nos familiares-problema, que te cobram paciência e perseverança, mas acima de tudo fé, exigindo-te grande esforço a cada dia.

Desperta para o bem, mesmo que ele pareça ter sido tragado pelo mal e segue fazendo o melhor, sem te desvinculares das bênçãos sublimes de Deus.

Enquanto o amor não vem

Com muita facilidade, criaturas afirmam que o mal sobre a Terra não tem mais solução.

Apoiam-se nas afirmativas de que, por todo lado, a guerra impõe e destrói, a fome saqueia a vida, o poder consome a liberdade, o orgulho impera entre os povos, a violência e a criminalidade se multiplicam.

São incapazes de amanhecer sem buscar, ávidas, os noticiários repugnantes e cruéis para se fazerem trombetas anunciadoras do mal por onde forem.

Afoitas, correm a espalhar as notícias contundentes, como se elas representassem a prova para as suas afirmações pessimistas.

Mas não se apressam:

A fazer uma prece pela paz no mundo, a partir de seus próprios corações.

A estender as suas mãos solícitas para saciar os que têm fome.

A transformar-se em alavancas de soerguimento para os que se encontram desvalidos.

A falar a favor da paz.

A cultivar a paciência e muito menos a resignação.

A semear a luz.

Superando a Ansiedade

A diluir a maledicência com a compaixão.

A opor-se ao ódio ou à revolta que julgam um revide necessário.

A estimular o sorriso para semear a esperança e o ânimo.

A empenhar-se em abraçar, para proteger ou incentivar a seguir.

A falar sobre o bem onde só se pensa no mal.

Não são capazes de buscar a fé na hora da aflição e tampouco dão um passo na direção de Jesus. Elas são as que engrossam as fileiras do desamor sobre a Terra. E esta e aquelas ainda, por muito tempo, permanecerão assim, porque a evolução do planeta depende delas.

Enquanto o Amor não vem...

Só enquanto o Amor não vem, porque ele há de vir e, ao chegar, luarizará o céu dessas almas ensombrecidas. Então, elas florescerão, aprenderão a sorrir, e, com elas, a Terra será um lugar de bênçãos de muita paz.

Não te abatas enquanto o Amor não vem. Sê o que sorri ante a dificuldade, o que crê e confia. Mas, principalmente, sê o que serve e ama, auxiliando na grande transformação.

Estás de passagem

Em qualquer trecho do caminho nunca te esqueças de que apenas estás de passagem e que, por mais longa te possa parecer, a estada é fugidia, diante da imortalidade.

Quando empreendes uma viagem, ao desprender-te do lar, levas uma bagagem compatível com o teu tempo de permanência no lugar de destino. Não levas tudo que tens, porque vais retornar.

Também, quando embarcas em direção à Terra, levas contigo, em evidência, apenas os dons que necessitas utilizar naquela jornada, a fim de aprimorá-los. Mostras somente parte de ti e de todas as experiências acumuladas, até então, nas vivências transatas.

Mas, igualmente, da Terra, em processo de retorno à Pátria Espiritual, não podes esquecer que a bagagem que contigo retornará será a estritamente necessária e possível de ser transportada.

Tu não és uma alma do mundo, tu apenas passas por ele inúmeras vezes, a fim de adquirires, a cada estágio, novos e preciosos conhecimentos para tua alma.

Por isso, não mergulhes de forma tão voraz, não te impregnes tanto de coisas e bens tão desnecessários, não

Superando a Ansiedade

te imponhas desgastes inúteis, não te canses tanto pelas posses, pelo poder ou pelo ouro. Tudo isso ficará.

Enche-te de amor, cultiva o bem, multiplica as virtudes e vem, no teu momento, rico de bagagem, de retorno ao verdadeiro lar onde, então, poderás usufruir da paz que só sente quem, atravessando o mundo, venceu-o com a força da alma; quem, apesar de todas as seduções da vida física, não esqueceu que sua destinação é divina e que, na Terra, estava só de passagem.

Estás deprimido?

Se te encontras abatido de tal forma diante das conjunções da vida, que já não achas objetivos para continuar lutando.

Se estás tão desiludido da conduta dos homens, que já não consegues discernir se ainda vale a pena te empenhares em ser melhor.

Se te encontras tão sobrecarregado de trabalho, que não consegues encontrar mais tempo para refazeres as forças.

Se a tua convicção na fé está abalada porque a religião não te oferece mais justificativas para tantos obstáculos e tantas fraquezas.

Se te desiludes com a condição em que se encontra a tua família, após tantos anos de dedicação e amor.

Se não encontras mais motivos para continuar insistindo no bem, já que parece que ele não encontra campo para reagir.

Se já não te contentas mais em ser o que podes, com o que tens.

Se os dias te parecem absolutamente todos iguais.

Se os problemas só te procuram, sem te dar a chance de encontrar novas soluções.

Superando a Ansiedade

Se o céu te parece sempre nublado embora digam que brilha o sol.

Se o manto da noite te surge obscuro, mesmo cintilado de estrelas.

Se achas que teu único objetivo é viver um dia atrás do outro, sem nenhuma alteração.

Se uma tristeza infinita te invade o peito constantemente, nublando a tua alma de escuridão.

Se queres chorar e não tens mais lágrimas.

Se, enfim, estás deprimido...

Busca Jesus! Só Jesus é a luz que não se apaga, a paz que não se extingue e o amor que nunca acaba, oferecendo-te o ânimo de prosseguir.

Para que a depressão te abandone, fica com Jesus.

Este dia

Não te aflijas tanto pelo dia que ainda não raiou. Com isso, distraidamente, deixas que se esvaia o dia de hoje a representar em tua vida a melhor oportunidade de ser feliz.

Vindo de um passado que não podes modificar e diante das ânsias e desejos reservados para um futuro que não sabes se viverás, cuida deste dia com muito empenho e gratidão, dando o melhor de ti.

Talvez julgues que não estás de posse das condições mais apropriadas ou que não te situas no meio mais adequado, mas tudo isso é um ledo engano.

Muitas vezes, o que desejas não é o de que realmente necessitas e, por isso, te acrescentaria ainda maiores dificuldades.

Confia que Jesus te ofertou este dia para tua felicidade, mas para que isso se concretize, preenche-o com o teu otimismo e nunca abandones a esperança, movendo o quanto possas de tuas forças a favor de colher todas as bênçãos com que o Mestre cercou a tua existência.

Sem viveres este dia, sem a ponte que ele representa entre o teu ontem e o teu amanhã, simplesmente, permanecerás estagnado no pântano das tuas deficiências, sem ir a lugar algum.

Superando a Ansiedade

Vive-o de tal forma que ele não seja apenas mais um dia, mas a verdadeira ponte de luz a te conduzir a um mundo melhor.

Expiações dolorosas

Muitas vezes, diante dos obstáculos naturais a qualquer criatura, ao invés de buscar Jesus para refazeres as forças tão necessárias à sua superação, optas por te abrigar na condição de vítima constante, totalmente infrutífera.

Julgas que és o que mais sofres e mesmo sem dispensar o menor esforço, alegas já ter feito tudo que estava ao teu alcance.

Por acaso, em algum desses momentos, pensaste naqueles que atravessam períodos de expiações verdadeiramente dolorosas?

Procuraste lembrar os que se encontram tolhidos pela paralisia cerebral, com minguados recursos de se exteriorizar, quando os têm, totalmente dependentes da comiseração alheia, já que são bem menos os que permanecem acolhidos em seus próprios lares?

Já recordaste os que se encontram mergulhados nas graves restrições de convivência social que a idiotia lhes impõe?

Os que se encontram, sem ter quem os guie, abrigados pelas trevas da cegueira, impedidos de ver o mundo, que muitas vezes te passa despercebido?

Pensas nos que se encontram imersos no silêncio

Superando a Ansiedade

imposto pela surdez, sem a alegria de ouvir o canto de um pássaro, o riso solto de uma criança e até mesmo o vozerio dos reclamantes?

Os mudos solícitos do teu entendimento para terem a chance de se comunicar? Os que não andam? Os que claudicam e muitas vezes te atrapalham o passo, costumeiramente apressado? Os que não têm um lar para onde retornar ao fim do dia? Os que não usufruem do aconchego da família? Os que se encontram internados no vício destruidor, causando o asco da sociedade impudicícia e cheia de hipocrisia? Os que seguem, sem rumo, imersos no desespero ou na desesperança? Os que foram impedidos de nascer?...

Lembra que todos eles, como tu, a expensas de passados delituosos, seguem colhidos por expiações dolorosas que não te atingiram ainda, ofertando-te a oportunidade ímpar de aprender com eles a ser melhor, antes que a dor, por último recurso, te surpreenda a existência, encontrando-te absolutamente distraído.

Não desperdices este momento precioso de tua jornada terrestre com reclamações e revoltas e segue adiante, grato a Deus pelas limitações, não impostas, que, apesar de todos os problemas te mantêm livre para agires, aprenderes e servires, em qualquer tempo.

Fardo precioso

Comparando a liberdade à leveza que te proporciona o corpo espiritual, é natural que consideres o corpo físico como um fardo.

Ele te impõe limitações muitas vezes dolorosas, principalmente quando agasalha em si deformidades próprias de tua alma, drenadas através dele, como prova maior da bênção da reencarnação.

Não o julgues, porém, um incômodo que te atrasa os passos. Pensa antes, que ele é um escafandro seguro, com poder de descer às profundezas do teu ser e de, escavando-te a consciência, trazer à tona, no tempo certo, as impurezas que lá se detêm, proporcionando, no decorrer das experiências, a sublime leveza do ser.

Trata-o como templo de amor que Jesus te concedeu para poderes ornar de luz a tua própria alma. Não o sobrecarregues ante o impositivo de conquistas dispensáveis. Honra-o com o melhor que tiveres. Cuida dele com desvelo, com dedicação e com carinho. Poupa-o de dores desnecessárias. Reabastece-o diariamente com o combustível da prece. Alimenta-o de fé para as horas difíceis.

Ergue-o do leito a cada alvorecer e transforma-o no instrumento de bênçãos que o Pai te concedeu.

Superando a Ansiedade

Conduze-o com a sabedoria daquele que lhe sabe afiançar o valor incomparável.

Não permitas que a intolerância, a crueldade, a revolta, a impaciência ou qualquer outro sentimento de ordem inferior nele se abrigue, a fim de que não seja prejudicado. Ele é o instrumento seguro de teu Espírito para a grande travessia chamada reencarnação.

Se para ti é um fardo, que seja um fardo precioso, merecedor de gratidão e respeito, pois esse teu passaporte de luz conduz a tua alma a aportar em mundos melhores.

Fica com Deus

Não permitas que a treva da amargura e da tristeza apague a luz dos teus olhos.

Antes que isso aconteça, lembra-te de que toda a luz que reside em ti provém de Deus.

Ele a alimenta em ti, incansavelmente e, por isso, tu és forte diante das tormentas.

Ergue tua fronte que se depôs ante o obstáculo que surgiu e dirige teus olhos ao Criador.

Pela força do teu amor ao Pai, teu olhar se encontrará com Ele.

Descobrirás então o quanto Ele vela por ti.

Se o mundo te abandonou, Deus permanece contigo.

Se todos te desprezam e abandonam, Deus te abençoa.

Se mãos sem amor te fazem resvalar pelos precipícios da dor, as de Deus te sustentam.

Se criarem trevas densas em nome do ódio ao teu redor, Deus te ilumina com a Sua misericórdia infinita.

Se tuas forças sucumbem levando consigo a esperança, Deus te conduz.

Se a doença te atinge, ameaçando-te com a morte, Deus é a própria vida.

Superando a Ansiedade

Se os teus passos encontram-se vacilantes e as quedas se sucedem, Deus te ergue.

Para venceres o mundo, fica com Deus

Fim dos tempos

Asseveram as vozes em coro, por todos os cantos, que a Terra, a breve tempo, finalizará a sua existência.

Decretam-se catástrofes de dimensões gigantescas, como implacável carrasco com a finalidade de ceifar a vida no abençoado planeta, assim como trombeteiam a sua destruição.

Julgam acaso que Deus vive o afã de criar e destruir?

Onde a fé dos que imputam ao Pai tamanha ferocidade?

Haverá realmente o fim dos tempos, mas nunca da forma como vem sendo entendido. Será estabelecido de acordo com a capacidade de evoluir dos Espíritos que habitam a Terra e representará o fim da chaga do egoísmo, do instinto criminoso, da insânia devoradora, do poder desmedido, da ditadura do ego, da vaidade atormentadora, da futilidade desequilibrada, do impositivo da ganância e da usura, da necessidade do outro, sempre negligenciada pelo narcisismo exacerbado.

Será o fim dos tempos dos iletrados, dos repudiados, dos que caminham a sós, imersos na miséria ignorada dos corações empedernidos, dos segregados da sociedade, por não seguirem a tirania de seus preceitos corrompidos e

Superando a Ansiedade

daqueles a quem se nega uma vida digna suprida do básico para a sobrevivência.

A intelectualidade porá fim aos tempos da vaidade e, vestida de humildade, será a luz que beneficiará os que sofrem em qualquer parte, sem barreiras sociais, religiosas ou étnicas. As fronteiras dos países se irmanarão numa busca comum a favor da solidariedade e do bem geral.

Será o fim dos tempos dos que angariam riqueza com a exploração da miséria, dos que tripudiam da simplicidade para satisfazer interesses mesquinhos, dos que corrompem a benefício próprio, dos que criam abismos morais para onde serão segregados num mundo de miséria e dor.

São chegados os tempos de promover mudanças imperiosas e radicais em teu próprio universo interior, para que raie em ti uma nova aurora, que colaborará para a formação de um mundo novo, numa futura Terra de regeneração, onde os homens conviverão, baseados numa lei incomparável da igualdade, onde o bem irá fincar raízes profundas e duradouras e onde o amor, enfim, reinará.

Flores de luz

Reconhece que a Terra é lar de passagem para todas as almas. Que tu mesmo não pertences a ela, mas passas por ela vezes sem fim, sempre com finalidades educativas. Assim também aqueles a quem amas. Cumprindo o seu tempo sobre o planeta, eles se desvinculam do corpo e, alforriados pelo amor, conquistam o direito de retornar ao país de origem, que é o mundo espiritual.

Se ainda os pranteias, que seja de pura saudade e também pela emoção de poder recordar a preciosidade de cada instante que tiveste junto deles na dádiva da reencarnação.

Lembra que eles não te pertencem. Que seguem como tu a sua destinação divina que não permite ficarmos indefinidamente detidos num trecho da estrada.

Não transformes o coração numa gaiola dourada que mostra, por um lado, a beleza do amor, por outro, apresenta-se como prisão a encarcerar entes libertos, merecidamente, pela etapa vencida.

E se, porventura, quiseres homenageá-los com flores e regá-las com as tuas lágrimas de saudade, juntamente oferece uma prece de gratidão a Deus pela bênção de ter repartido com eles momentos inesquecíveis no transcorrer

Superando a Ansiedade

da existência. Recolhe para ti o exemplo da própria flor que lhe ofereces: mesmo ceifada do ramo que lhe concedia a seiva, ainda assim perfuma o ambiente onde se encontra.

Faze tu o mesmo. Diante da dor que te agoniza, pelos que partiram, estende as tuas mãos plenas de amor e minimiza a dor do teu próximo, oferecendo as dádivas recolhidas como flores aos seres amados.

E só assim, em nome do amor que te sustenta, tu estarás fazendo com que a messe que Deus te ofertou, adubada pela dor da momentânea separação, produza, em nome do bem efetuado, verdadeiras e inesquecíveis flores de luz.

Fonte segura

É óbvia a imensa necessidade de nos aprimorar na cultura, a fim de galgarmos condições e oportunidades melhores nos patamares das exigências que o mundo nos impõe. Desde muito pequenos, nos vemos sobrecarregados pelas obrigações que se nos apresentam como primordiais e que nos cobram um esforço constante para vencê-las.

Os pais, que já passaram por essas pressões, por sua vez, as exercem sobre os filhos, como se os preparassem para uma batalha de vida ou morte, e não raramente, semeiam nos pequenos, a disputa como ponto principal em qualquer situação. O filho é treinado para não aceitar a derrota e quase nunca se estipula preço para galgar a vitória.

Pelos imperativos dos compromissos que se sucedem ininterruptos e para não aparentar fragilidade ou desistência, pouco ou nenhum espaço sobra para se oferecer à alma, em estágio na reencarnação, um encontro com Deus, a fim de que ela entenda o quanto a fé pode sustentá-la, diante da dor e da desilusão que, fatalmente, a atingirão em alguma parte do seu percurso.

É por isso que a maioria cresce, aparentemente preparada para enfrentar os embates do convívio profissional e para alçar-se aos primeiros postos da competência, exibindo dotes invejáveis e diplomas acadêmicos respeitáveis. Mas nem sempre possuem os mesmos requisitos quando são visitados pelas múltiplas facetas com que a dor se fantasia, a exigir uma resistência hercúlea que nenhuma universidade, com os lauréis de suas grades curriculares, pode oferecer.

Quantas vezes, aquelas criaturas de aparência invencível, desmoronam, se repudiadas por uma empresa ou diante do diagnóstico de uma doença de longo curso, de tratamento difícil ou ainda sem chances de recuperação ante os recursos da medicina e se permitem tomar pela revolta insistente que deságua na depressão, no desencanto pela vida e, até mesmo, no suicídio.

E os que pareciam robustecidos expõem a sua fraqueza moral e o seu desconhecimento das verdadeiras razões da existência, porque somente se prepararam para enfrentar o mundo exterior e desconhecem completamente o mundo íntimo, cuja reforma é a única razão de estar de posse de uma nova vida, que nunca aprenderam realmente a viver como deveriam.

Se o orgulho enquistado cede espaço à humildade de reconhecer-se necessitados de auxílio, ainda conseguem buscar a religião como refúgio seguro para o momento difícil, angariando ali novos conhecimentos que não vão lhes aumentar os rendimentos materiais e nem vão dar condições profissionais mais relevantes, mas vão lhes restituir as forças para erguerem-se e continuarem renovados pela fé, enriquecidos de experiências incomparáveis a lhes desdobrar novos caminhos e valores morais muito diferenciados daqueles que lhes foram apresentados como essenciais para as conquistas da existência.

É aí então, que, ao se aproximarem de Deus, fonte segura doadora de amor, descobrem que não pertencem à Terra de forma definitiva, apenas passam por ela para somar, para vencer-lhe os impulsos sedutores e para seguirem adiante, no rumo do aprimoramento.

Preparemo-nos, portanto, a fim de não apenas vencermos no mundo, mas de estarmos cientes de que vencê-lo é antes de tudo passar por ele sem nada levar a não ser os tesouros das virtudes cultivadas pelo coração.

Por mais que caminhemos sobre a Terra, somos como o rio que sempre depende da fonte para cumprir seu trajeto. A fonte é a origem da vida e para a alma, ela é Deus, simultaneamente, origem e destino final.

Superando a Ansiedade

Futilidades

Apegas-te, muitas vezes, à futilidade, por ausência de bens morais, muito mais difíceis de adquirir do que o fato de nos dirigir a uma loja de conveniência para comprarmos produtos que preencham momentaneamente o nosso ego, para logo após nos descobrirmos no infinito vazio de nós mesmos.

Olhamos o mundo lá fora, o silêncio que avança noite adentro, e buscamos as futilidades na televisão, a fim de distrairmos o eu solitário.

E assim, na substituição constante dos anseios, caminhamos carregando a vida ou deixando-nos levar por ela, como nau à matroca, esquecendo-nos de que deveremos ter o comando da nossa reencarnação, fincado na responsabilidade com amor, para logo mais, quando colhidos pela desencarnação, sermos chamados a avaliar o trajeto cumprido, sem medo de enfrentamento.

É hora de interiorizar as nossas preocupações, de ficar a sós conosco, para nos conhecermos em profundidade, de atender às carências da própria alma, de não ter medo de levantar questionamentos necessários ao nosso despertar e de seguir resolutos, rumo à evolução.

Não tarda o instante em que o presente já se foi e,

Superando a Ansiedade

se apenas cultivarmos satisfações momentâneas, nos encontraremos vazios de realizações que possam seguir conosco no mundo da alma imperecível.

Oremos para encontrarmos forças de enfrentar as lutas que surgirão, na certeza de que delas dependerá a nossa reeducação, motivo primordial da estada na Terra, a fim de que, desprendidos da vida física, possamos regressar plenos pelas conquistas atingidas.

Gratidão

Faze com que a gratidão seja um sentimento que sempre se manifeste por ti.

Quando os bons momentos te circundarem a existência, deixa que ela transborde de tua alma que reconhece as bênçãos que recebe do Pai e, por tua vez, acalenta aqueles que necessitam de amparo e consolação, como forma de exteriorizar o contentamento do bem que te visitou.

Se a dor te atinge a existência, sê grato a Jesus, pois ele te permite vivenciar a prova redentora que te oferece a oportunidade de aprendizado e crescimento e não a desperdices.

Confia, que, nesse instante, as forças do amor escoam em tua direção pelas mãos invisíveis, mas solícitas e fraternais dos amigos espirituais, oferecendo-te alavancas de soerguimento e esperança, e, mais uma vez, sê grato por todo o carinho que recebes do Pai.

Lembra-te de que a gratidão movimenta em ti energias curativas as quais, com certeza, além de te aliviarem o fardo, são antenas psíquicas de alta resolução. Elas atraem otimismo e equilíbrio, fornecem-te infinitas possibilidades de encontrar saídas diante dos obstáculos, resignação perante a dor e luz diante das trevas em que

Superando a Ansiedade

se encontra mergulhado o teu Espírito, à conta das águas caudalosas e negras do rio da tua existência, na correnteza das reencarnações.

Nunca duvides da paternidade divina e jamais te julgues a sós. A misericórdia oferece sempre a guarida em preciosos corações, em quaisquer circunstâncias.

Sê eternamente grato por tudo que te cerque a vida, especialmente, por poderes vivenciá-la ainda uma vez mais.

Hábitos dispensáveis

Que o mundo não colha as tuas melhores intenções no alçapão da usura e da imoralidade.

Que te percebas, acima de tudo, como alma abençoada na grande marcha da evolução, que fatalmente alterna períodos no corpo físico e fora dele.

Que as intenções do bem realimentadas no estágio espiritual não se prestem a escravizar-se pelos interesses que comumente se apresentam fantasiados de necessidades.

Que os hábitos sejam salutares, frutos da alma vigilante a qual, em nenhum instante, se esquece de sua destinação divina, e que nunca encontres justificativas para aquilo que possa enegrecer o teu trajeto.

Portanto, que o teu ócio não seja apelidado de descanso necessário.

Que o teu lazer não seja apenas o apelo das emoções tumultuadas a atirar-te a antros de vícios e desmoralização.

Que nunca troques a afetividade pelos interesses mesquinhos.

Que jamais te esqueças da lealdade em favor dos conúbios desgastantes.

Que nunca troques o momento louvável de caridade pelo convívio social perfeitamente dispensável.

Superando a Ansiedade

Que a família não se dilua no grupo que, momentaneamente, te cerca, a explorar de ti a favor do que é frívolo e transitório.

Que Jesus jamais se apague da tua consciência, assim como a ideia inata da tua imortalidade, para que te dês conta, a tempo, de que, momentaneamente no corpo, és muitas vezes escravizado por hábitos absolutamente dispensáveis à tua alma.

Então, que tais vícios e maus hábitos não se transformem em armadilhas a fazer naufragar a bendita oportunidade, renovada, uma vez mais, a fim de que, liberando-te do provisório, possas usufruir da permanente companhia do Cristo de Deus.

Herdeiro de Deus

Debates-te em busca de patrimônios efêmeros, gastas tuas horas em labutas perfeitamente dispensáveis, que te desajustam a alma, distanciando-te de Deus.

Não te descobriste, ainda, possuidor de recursos inimagináveis, apegando-te à materialidade transitória, esquecendo que para ti, Deus ergueu o universo, ao qual nenhuma fortuna se assemelha e que, no entanto, tu relegas ao desprezo, mantendo-te inebriado pelo que anseias possuir, sem te dares conta do quanto deixas de usufruir.

És herdeiro do Pai e a Terra é um dos seus magníficos haveres cujos incalculáveis valores tu não estimas, nem te atentas aos cataclismos contínuos que são como vozes vindas de seu interior para te avisar sobre os desatinos cometidos.

Não amas o suficiente as belezas naturais que te sustentam a vida, destruindo os recursos providenciais com que a misericórdia divina te ampara a existência.

Viajante do infinito, liberto momentaneamente durante as horas do sono físico, tu cobres, sem te aperceberes, distâncias incalculáveis que fazem parte do teu patrimônio imortal, mas, no transcorrer de cada dia, lutas por migalhas desprezíveis, capazes de te fazer sentir poderosamente proprietário do nada.

Superando a Ansiedade

Sendo herdeiro da Terra, muitas vezes consomes a existência lutando por miseráveis porções de bens que a breve tempo mudarão de mãos.

Como herdeiro da vida, a desrespeitas para afogares os sentimentos nos prazeres desmedidos, consumindo-te na ilusão.

Aprende a administrar o que te pertence com a gratidão de ser aquele que sabe que tudo obteve por misericórdia e que precisa cultivar dons simples da alma, como a humildade e o amor para descobrir que é possuidor do maior patrimônio que a bênção do Pai poderia lhe oferecer.

Como herdeiro de Deus, tens a responsabilidade de exercer a propriedade com respeito e gratidão, lembrando que nada possuis individualmente, mas tudo é patrimônio da humanidade à qual pertences hoje e para sempre e a cada retorno necessitarás da casa chamada Terra para aquilatares os valores da própria alma.

Ilusões

Crês firmemente que possas ser feliz apenas quando realizares os sonhos que te acalentam o coração.

Porém, sempre que o objetivo é alcançado, descobres-te frustrado ante a incapacidade de aquela conquista te fazer realmente feliz.

Insatisfeito e porque logras acreditar que somente as coisas materiais te tornam pleno, lanças-te, sucessivamente, à conquista de novos desejos, esvaindo tuas energias numa luta vã que termina coroada por uma nova desilusão.

Há momentos em que, de alma abatida, chegas a te convencer de que não vale mais a pena viver, pois te consideras um eterno perdedor.

Assistes cada vez mais exaurido às conquistas alheias, és testemunha dos risos desmesurados e da alegria escancarada que te fazem acreditar que este mundo está movendo uma ação de despejo contra ti, pois somente premia os outros, sem nada acrescentar à tua amargurada existência.

Nem sequer cogitas que és o expectador de uma peça em que todos os atores foram preparados para te abanar com uma falsa felicidade, porque eles se permitiram engalanar por um brilho falso, mas a sós, talvez sejam infinitamente mais infelizes do que tu.

Quantos não se encontram em estados de profunda depressão, afogando-os nos medicamentos que entorpecem e nos vícios que atiram o ser à sarjeta da miséria moral, mas, enquanto puderem sustentar o preço das aquisições momentâneas, vão sendo o teu sonho de consumo não efetivado.

Quando te desiludires, lembra-te de que, movido por uma ilusão a menos, ficas mais perto de estar com Jesus, o bem imperecível, a jóia de brilho incomparável que é capaz de iluminar o céu de tua desiludida alma, mostrando-te um novo caminho onde a felicidade não é algo que deves ir buscar, mas uma dádiva que, há muito, está dentro do teu ser.

Impermanência

Viajantes eternos das reencarnações, sabemos ainda tão pouco sobre a grandiosidade de Deus.

Ele que nos fez herdeiros do universo, das riquezas estelares, dos mundos, do céu e das águas, das flores e da relva, apiedado de nossa pequenez, também preencheu-nos o vazio das almas de tesouros incomparáveis que, muitas vezes, permanecem totalmente ignorados por nós.

Assim, adentramos a vida física, abrigados pelo tesouro da maternidade. De mãos dedicadas e singelas recebemos os primeiros afetos e forjamos os valores da moral.

A seguir, pelas mãos da paciência e abnegação recebemos o tesouro das primeiras letras, libertando-nos da ignorância.

Compartilhamos vezes sem fim do tesouro da amizade, mas relegamos a preciosidade dos momentos que poderíamos vivenciar agora, ao amanhã que talvez não atravessemos.

Na juventude, somos arrebatados pelo tesouro do amor, mas sem saber preservá-lo, muitas vezes, cultivamos a paixão entorpecente e, por fim, assumimos um compromisso que mais além a desilusão irá devastar.

E, na velhice do corpo, estamos de posse do tesouro

da experiência que poderia nos oferecer sabedoria para o retorno, mas pela falta de preparo espiritual, muitas vezes nos oferece campo para a depressão e a revolta.

Somos, assim, infinitamente ricos, sem saber, mas por não cultivarmos os tesouros da reflexão e da fé adentramos a miserabilidade espiritual.

É nesse instante que o Pai investe o anjo da doença, da responsabilidade de nos resgatar. E é assim que muitos de nós, de sonhos desvanecidos pelas conquistas ilusórias, recebemos de volta o tesouro da esperança, mostrando-nos que tudo é bem temporário, ópio poderoso que nos faz, inclusive, esquecer que estamos apenas de passagem e que poderemos partir a qualquer momento.

Jesus contigo

Diante de qualquer circunstância, guarda sempre a certeza de que Jesus estará contigo.

Diante da doença, mesmo que não estejas cercado de cuidados e de carinho, acima de tudo, Jesus estará contigo.

Se te vires açoitado pela dúvida, surpreendido pela insegurança ou abatido pelo desânimo, nunca te esqueças de que Jesus estará contigo.

Se à frente dos obstáculos, a fé desmoronar e te sentires a sós, Jesus aí estará.

Se as trevas densas teimarem em pairar sobre ti, dando-te a nítida sensação de que não tens quem te sustente, ainda assim não duvides de que Jesus caminhará contigo.

Em qualquer situação, Jesus será sempre a tua companhia. Nos maiores extremos da vida, Jesus seguirá contigo.

Se as contingências do sucesso e da alegria te assorearem a alma, muito mais Jesus estará junto de ti a rogar parceria de amor a favor da necessidade do teu próximo.

Não te permitas envolver tanto pelas satisfações materiais, que mesmo sem o querer, te distanciam do Mestre. Não anoitece apenas uma vez na tua existência.

Superando a Ansiedade

Os acontecimentos se sucedem num alternar constante de tristeza e alegria. Não importa! Caminha com Jesus e a cada chance dá o que possas.

Não te permitas abater pelo orgulho ou pelo egoísmo, isolando-te na ilha da ingratidão. Distribui do que tens, sem medo de ficares sem nada, porque Jesus é rico em abundância, e de abundância cerca os que com ele seguem.

E, se em algum momento, a dor te atingir e ao teu redor não encontrares uma mão amiga ou um coração seguro para te amparar; se apenas as lágrimas te oferecerem companhia, umedecendo-te a face abatida pelo sofrimento e tiveres a certeza de que ninguém segue ao teu lado, observa com atenção. Perto de ti há um semblante sereno, um olhar doce e penetrante, uma figura plácida e, ao mesmo tempo, forte que te agasalha junto ao próprio regaço, uma figura luminosa cujas mãos te sustentam os passos cambaleantes e cuja voz, a soar no teu imo te incentiva a continuar.

É Jesus contigo!

Não o abandones. Segue tu com ele, por onde fores.

Jesus de Nazaré

O que farias se surgisse diante de ti um homem envolto em túnica rústica, desempregado, seguido por alguns discípulos sabidamente rudes e ignorantes, que conseguisse manter a serenidade ante as chamadas injustiças, que perdoasse indefinidamente, que não tivesse lugar próprio onde repousar o corpo cansado, que não se apegasse a nenhum tipo de conveniências, que, ainda por cima, alegasse não ser seu reino deste mundo e que sua missão era de cunho divino?

Com certeza, o tacharias de lunático e, a não ser que precisasses, urgentemente, ser curado de um grande mal, não o seguirias.

É óbvio que não existem parâmetros entre os velhos tempos da Galileia e os dias da atualidade, porém, provavelmente tu estiveste muitas vezes mais próximo dele do que possas imaginar, mas ficaste com ele?

Quem é para ti Jesus de Nazaré? Onde, a tua convivência com as coisas do mundo permite que o coloques?

Será que ele é apenas uma criação, uma utopia da mente do homem necessitado, uma lenda ou realmente existiu?

Jesus de Nazaré não foi apenas uma personagem

da história da humanidade. Ele foi a maior de todas. Atravessou os séculos pelos seus exemplos de amor e dignidade incomparáveis e mudou o rumo do mundo.

Ele nos mostrou a grandiosidade do perdão e ensinou-nos a amar ao nosso próximo como a nós mesmos.

Curou corpos e almas de tantos e foi apontado pela maioria como aquele que deveria morrer. Mesmo assim, ele perdoou e nunca mais foi esquecido.

Tu podes ter te afastado dele infinitas vezes, mas ele nunca te deixou. Se ainda o procuras, olha ao teu redor.

Ele é o raio de esperança que tantas vezes luariza o céu obscurecido de tua alma; é a cadência de paz que estabiliza os teus sentimentos para   seguires adiante fortalecido; é o sorriso sereno a estampar ânimo em tua face ante os obstáculos; é o brilho em teu olhar, oferecendo segurança nos momentos dolorosos, mas, acima de tudo, ele é a voz suave e ao mesmo tempo firme que ecoa em teu ser, dizendo-te: "– Vem, eu espero por ti."

Jesus no teu dia a dia

Cristãos de variadas denominações, inclusive os Espíritas, acreditam que estar com Jesus é pronunciar diariamente preces previamente formuladas, de maneira automática, quando não, executar rituais muitas vezes duvidosos, aos quais se outorgam poderes específicos e sobrenaturais.

É muito mais do que isso. Ter Jesus no dia a dia é encontrar disposição e felicidade para encarar um novo amanhecer, independentemente dos problemas que surgirem, oferecendo o melhor de si.

Ter Jesus no dia a dia é tratar a todos com respeito e gentileza, sem levar em conta a posição social, por estar ciente de que todos são absolutamente iguais perante Deus.

É ter a alma tão tocada pela dor alheia a ponto de esquecer a própria dor, a fim de socorrer e amparar.

É saber confiar, quando tudo impuser tristeza ou desânimo, ciente de que esse é apenas um momento que, como tantos outros, também se diluirá na eternidade.

Ter Jesus no dia a dia é encontrar paciência repetidas vezes, quando os familiares impuserem situações de difícil trato e é superá-las, sem agredir ninguém.

É manter a fé e a perseverança, quando tudo ao redor

conspirar para o desalento ou anunciar a derrota como certa.

É amar cada instante e tratá-lo com o máximo amor e gratidão, como se fosse o último que se permitiu viver.

É olhar o céu, o sol, as árvores, o mar, as flores e encontrar a presença majestosa de Deus em cada qual.

É nunca perder a esperança de que o mundo se tornará mais justo e as criaturas irão conhecer o bem e a paz.

É fazer valer a pena a vida, tornando-a melhor a cada dia.

É fechar os olhos, mesmo diante da balbúrdia que nos rodeia, e ainda conseguir ouvir o apelo memorável de Jesus, na Galileia de outros tempos, pedindo que nos amemos uns aos outros.

É não se permitir, num átimo de dor, envolver pelo desespero que destrói e ter forças de rogar ao Senhor mais fé para suportar e superar.

Ter Jesus no dia a dia é saber ficar com ele diante das alegrias tanto quanto o buscas nos momentos de desespero e saber distribuí-las àqueles que ainda não as encontraram e nem conhecem o bem e a paz.

Mãe, amor sublime

A vida, diariamente, se renova na Terra e os planos de Deus não podem seguir adiante sem a tua participação. És o anjo acolhedor, a porta sublime por onde os Espíritos renovam a abençoada oportunidade da reencarnação.

Olhando os pequeninos berços sobre os quais debruças as forças na dedicação dos próprios dias, encontramos abrigados em corpos frágeis, Espíritos dóceis a fitar-te gratos, mas também os déspotas de outrora, freados pela fragilidade do equipamento físico, necessitados de haurir de ti, não apenas os cuidados mais imediatos, porém, acima de tudo, o exemplo do amor incomparável e a doçura da alma enternecida, material indispensável ao soerguimento de suas almas enleadas pelo passado delituoso.

Eles agora retornam, depois de transitar, muitas vezes, pelas vielas escuras do orgulho, ensombrecidos pelos crimes perpetrados; pela opulência repugnante construída sobre as ruínas de outras almas; pela agressividade que torpemente interpretaram por supremacia; pelo poder enceguecido que, muitas vezes, os atirou ao despenhadeiro da desonra. Mas, pela misericórdia do Pai, tornam-se fisicamente pequeninos, necessitados, para sobreviver,

Superando a Ansiedade

de cuidados específicos, recebendo a preciosa lição da humildade e da renúncia.

Eles, apesar da opulência de outrora que julgaram eternizada, requerem um ventre onde possam refazer, por intermédio do corpo em gestação, a sagrada oportunidade de reerguer-se das próprias cinzas, almas enquistadas no erro devastador, para ressurgirem numa nova vida, a fim de recuperar-se.

Mãe, és o sublime amor, que o próprio Cristo não pôde dispensar, em se fazendo pequenino entre os homens da Terra, a fim de anunciar uma nova era de amor e regeneração. Ele, que é o fulgor exemplar de perfeição, ornou tua fronte de luz, para que representasses, em todos os séculos, a presença divina na Terra, como a permanência de Deus entre os seres que nela habitam. Nem do leite reconfortante do teu seio, o Nazareno pôde prescindir, para efetivar a sua tarefa evangelizadora, tornando-se a seiva da Terra a fim de que esta mesma Terra, nos séculos do porvir, pudesse tornar-se fecunda e frutificasse em amor.

Louvada sejas, bendita mãe!

O coro das vozes celestiais entoa um hino de gratidão ao teu ventre abençoado, às tuas mãos dadivosas e ao teu coração sublime; e, pelas veredas dos céus, ainda se escuta a palavra magnânima do Cristo dizendo-te: – Bendita é a que vem em nome do Senhor!

Louvada sejas!

Mediunidade

Quantos buscam a mediunidade na ânsia incontida do intercâmbio entre o mundo físico e o espiritual, à procura de diretrizes futuras ou solução imediata para os seus problemas.

Sem conhecerem a mediunidade, falsamente, supõem que ela ofereça uma supremacia àqueles que a exercem, isentando-os de dores e aprendizados comuns a todas as criaturas.

Alguns adentram as Casas Espíritas, sentindo-se obrigados a exercê-la, a fim de afastarem as sombras dos Espíritos infelizes que vivem ao seu redor, no intuito único de criar obstáculos à almejada felicidade. Transformam, por falta de esclarecimento, a mediunidade num comércio com o mundo oculto, numa troca constante de interesses.

Caso não sejam capazes de exteriorizá-la, sentem-se excluídos pelo Pai das posições de diletos e julgam-se abandonados pelos Espíritos.

Esquecem-se de que a mediunidade não é propriedade da Doutrina Espírita, pois o intercâmbio mediúnico existe desde os primórdios da Terra, porém foi apenas o Espiritismo que a estudou e se preparou para evangelizar o médium, que não precisa ser, necessariamente, aquele que participa das tarefas

Superando a Ansiedade

desenvolvidas dentro dos centros espíritas, mas qualquer um que permanece vinculado à carne e a qualquer instante.

Vive-se em permanente contato com os Espíritos, atraindo-os pela sintonia que se estabelece diante de todas as circunstâncias da vida.

Médiuns das vias públicas a se deixar levar pelas induções daqueles que os impulsionam às contendas e à agressividade.

Médiuns do lar que, muitas vezes, se transformam em pontes de mensagens de incompreensão e desânimo direcionadas aos familiares.

Médiuns do campo profissional a gerar a discórdia e a desconfiança, estabelecendo competições acirradas, ao mesmo tempo em que se desfazem laços de amizade que poderiam ser duradouros e imprescindíveis.

É preciso que os médiuns procurem ser evangelizados, a serviço de Jesus, amparando os que com eles seguem, vestidos de pais, filhos, irmãos e cônjuges, sob o guante de tenazes aflições, suplicando misericórdia e amparo.

É preciso que os médiuns procurem ser misericordiosos, quando na via pública alguém rogar comiseração, oferecendo-lhe as mãos prestimosas, como alavancas de auxílio, a favor do Cristo, erguendo-o dos catres de miséria e desamparo.

É preciso que os médiuns sejam do bem, por onde forem, na certeza de que se vive imerso num mundo de vibrações, assim, buscando sempre a vibração do alto, socorrendo, amparando e estendendo, para além das mãos, o próprio coração ao necessitado, para transformar-se numa ponte segura por onde a dor possa transitar rumo aos braços do amor.

Mediunidade consoladora

Quantos se aproximam da Doutrina Espírita predispostos apenas para a tarefa mediúnica.

Acreditam que, somente estarão praticando o bem, se através deles se manifestarem os Espíritos agressivos de difícil doutrinação, para os quais oferecerão as melhores lições de moralização; ou então, se forem instrumentos das mensagens direcionadoras dos Espíritos evangelizados, tornando-se assim, supostos médiuns de destaque especial.

Relegam a segundo plano as tarefas evangelizadoras, que destinam a outras criaturas, na opinião deles, não portadoras de intelectualidade, com competência para o mister que a si próprios designam. Consideram-se acima dessas maravilhosas lições que lhes exige o exercício da caridade junto aos necessitados de todos os matizes.

Convidados ao trabalho da assistência social, omitem-se, alegando que tais recursos são desperdiçados com mendigos que, supostamente, se encontram em merecidas condições para o seu aprendizado e anulam a abençoada oportunidade de exercitar a verdadeira caridade tão exortada no Evangelho de Jesus.

Esquecem-se de que aqueles que a eles se vinculam através da mediunidade, também representam, no mundo

Superando a Ansiedade

espiritual, os mesmos necessitados da nossa assistência na Terra, porém desnudos do implemento físico. Mendigam entendimento e amor, mas, acima de tudo, oferecem-nos, sob o alerta da própria dor, as maiores lições da necessidade da nossa reforma interior.

Ainda é tempo. Comecemos já o empenho de ser melhores, não por meio das condições mediúnicas que possuímos apenas por acréscimo da misericórdia de Jesus para com as nossas imperfeições, mas da perseverança no bem irrisório e persistente de cada minuto, incorporado às atitudes diárias, na maior demonstração da ação do Evangelho em nós.

É essa a prática constante da caridade, para não sermos, amanhã, no retorno à Pátria Espiritual, os mendigos do amor que batem à porta de corações voltados ao exercício da mediunidade com Jesus, a nos oferecer consolo e esperança.

Não apagues a tua luz

Mesmo que as circunstâncias só te permitam divisar as sombras, não te convenças que elas são dominadoras e não permitas que se apague a tua luz.

Recorda que és viajor do infinito e que, em renovadas oportunidades, estarás na Terra sob o guante de atrozes aflições, mas que teu caminho é feito de luz.

Nunca admitas que as sombras daqueles que não cultivam o amor possam descer sobre ti o véu da desesperança.

Procura não aceitar provocações com o objetivo de afastar-te de Deus.

A tua existência sempre contará com diversos momentos difíceis, com altos e baixos que terão a finalidade de te educar para o amor.

Não deixes que a mágoa, a tristeza, a desesperança e, principalmente, a falta de fé se abriguem em teu coração, levando com elas a luz que Deus semeou em ti.

Crê, infinitamente, que vale a pena ser bom ante qualquer situação, mesmo que a única vitória que consigas visualizar seja a do mal.

O mal seduz para, posteriormente, destruir; o bem conquista com grande esforço, para iluminar; porém,

Superando a Ansiedade

encontrar o mal e ser convencido por suas vantagens, é bem mais fácil do que acreditar ser possível vencer, amando.

Lembra-te de que nos painéis da história da humanidade, os que escolheram o caminho do mal, ficaram marcados pelo poder, e a morte, por fim, os arrebatou. Somente Jesus, representando a pureza do amor, foi eternizado no coração dos homens, pois, além da morte, prossegue vivendo em plenitude, mostra um caminho feito de luz, acima de todas as torpezas que o mundo oferece. E, seguindo adiante, iluminando o caminho, ele espera por ti.

Não basta viver

Adentrar a vida não é o bastante. Nunca deves esquecer que, com ela, chegam os compromissos através de sublimes resgates e preciosas lições.

Porém, com a falsa ideia de que o destino nos conduz por si mesmo, deixas, muitas vezes, de administrá-la a contento.

Recorda que a vida é bênção incomparável, constantemente desperdiçada, como fez aquele pescador desiludido e distraído que brincava à beira do rio. Ante a frustração da pesca, atirava pequenas pedras, a esmo, às águas agitadas, enviando com cada uma, fatias da sua insatisfação até que, de posse, de mais uma em suas mãos, notou que ela cintilava, refletindo o esplendor dos raios do sol. Então descobriu que era a última de um punhado de diamantes que, por alguns momentos, detivera, mas já não tinha mais condições de recuperar o tesouro atirado ao rio.

Assim fazes, muitas vezes, com os dias de tua existência. São atirados sem nenhuma atenção à correnteza da vida e não lhes percebes o incalculável valor, até todos se esgotarem, um a um.

Lembra-te de que viverás ainda infindáveis

reencarnações, mas que cada uma é inigualável e nunca poderás retroceder sobre teus passos.

O objetivo primordial de viver é lapidar a tua alma, de forma constante, ininterrupta, fazendo surgir as faces brilhantes das virtudes e esmerilhando as tendências nefastas, para que a pedra bruta liberte o diamante incrustado em seu íntimo.

Observa como hoje és e assegura-te de ser melhor do que ontem, para saberes o quanto tens feito a teu favor.

Cria, finalmente, coragem de aliviar a tua alma de bagagens inúteis e preenchê-la de amor, porque não basta viver, é necessário amar a vida o suficiente para fazê-la brilhar na imensidão do céu e transformá-la num hino de louvor a Deus que a concedeu.

Não posso

Jamais digas: "Não posso".

Examina as tuas possibilidades com carinho e espírito de auxílio e com certeza, mesmo desprovido de condições, o amor multiplicará as tuas capacidades para encetares o favor solicitado.

Lembra-te de que se estendem pelos caminhos da vida as filas dos desesperados, acima de tudo desesperançados, profundamente necessitados de compaixão.

Nesse instante, percebe que as tuas próprias dificuldades tornam-se infinitamente menores diante da dor alheia e não percas a oportunidade de servir, retirando da despensa mais singela da alma o suprimento que te suplicam.

Não te esqueças de que a nossa disposição em ajudar o próximo, sempre se transforma em solução para nós próprios.

Movimenta as tuas energias que, muitas vezes, são desperdiçadas em explosões de impaciência e agressividade, para canalizá-las a favor do bem.

Todas as vezes em que dizes: "Não posso", tu permites que se rompa o fluxo de vida em ti, estagnando à margem do caminho.

Superando a Ansiedade

São infinitas as oportunidades de ajudar-te, ajudando, para que simplesmente te candidates à imobilidade.

Ninguém chega a lugar nenhum se não se propõe a enfrentar os percalços da estrada e a mobilizar as forças na conquista da vitória.

Se algum dia tiveres que dizer a frase "Não posso", que seja somente para declarar:"Não posso deixar de servir por amor a Jesus".

Não sejas o que condena

Se agasalhares em ti o hábito frequente de comentar, apontar ou condenar o erro do teu próximo, relembra Jesus, nos idos tempos da Galileia, quando a mulher equivocada, cercada por seus perseguidores, estando na iminência de ser apedrejada, recebeu a divina intercessão.

Jesus, suavemente, dirigiu-se aos que a perseguiam, dizendo-lhes que atirasse a primeira pedra somente aquele que estivesse sem pecado.

Sem coragem de confessá-los, porque orgulhosos, ante a autoridade moral do Mestre Nazareno, um a um, todos os que estavam prontos a apedrejá-la, julgando-se aptos a estabelecer a condenação e sequente lapidação, largaram as pedras e volveram aos seus caminhos.

A mulher, agora a sós com Jesus, pergunta se ele também não a vai condenar, sendo liberada ante o sábio conselho de que não voltasse a cair no erro.

Esse instante bíblico inesquecível nos mostra o quanto somos frágeis, para nos arvorarmos em juízes do nosso próximo, tanto quanto nos reforça a necessidade de nos erguer do erro e de nos esforçar para não repeti-lo.

Não condenes, portanto, aquele que surpreendes em queda.

Superando a Ansiedade

Se Jesus, de moral ilibada, não condenou, não sejas o que condena, tampouco.

Aproveita o precioso momento, não somente para não perderes a bendita oportunidade de auxiliar o que cai, mas para, munindo-te de coragem suficiente, examinares a própria consciência. Assim, se tiveres a capacidade de reconhecer os teus erros, avançarás rumo à recuperação.

Não te encontras nos caminhos da Galileia de outrora, mas, com certeza, Jesus está sempre contigo e continua aconselhando: "Vai, e não peques mais."

Não temas fazer o bem

Se te impões uma disciplina muitas vezes desgastante para te desvencilhares a contento dos compromissos materiais, busca a mesma energia a fim de praticares o bem por todas as maneiras ao teu alcance.

Não medes sacrifício, tempo gasto, cansaço para te colocares à altura de todas as exigências que o mundo te propõe. Apenas te dispões a cumprir sempre e cada vez mais os rigores impostos.

Assim também não deixas de te preparar e comparecer a eventos sociais, muitas vezes, avançando nas horas da noite, a custo do teu cansaço e até mesmo da tua própria segurança, a fim de não desiludires o afeto que te convidou, é também porque gostas de cultivar as alegrias das boas horas.

Da mesma forma, apega-te a fazer o bem.

Quem faz o bem, não deve ser temeroso, com certeza sempre encontra alegria e ânimo para servir, não se deixa transformar em vítima das circunstâncias e tampouco oferece tempo vago para armazenar tristeza, angústia, depressão ou construir doenças de longo curso.

Quem faz o bem não deve temer a incidência do mal sobre si, apesar da hora, dos lugares lúgubres e muitas

Superando a Ansiedade

vezes aparentemente perigosos onde é chamado a servir. Quem se propõe ao bem nunca se encontra ao desamparo de Jesus que segue junto dele para oferecer a sua paz e multiplicar os dons diminutos de cada um, a fim de aliviar o fardo de tantos.

Ao fazeres o bem, não temas o mal, porque ele naturalmente será diluído pela aura da caridade a envolver o gesto de solidariedade proposto, que onde está, em singelas réstias, sempre se faz acompanhar pela inconfundível luz do amor.

Nas teias da ilusão

Quando embarcas para a viagem chamada vida, é primordial que recordes que não vais a passeio e sim, para completares mais um intercâmbio de aprendizado.

Como alma de vastas experiências, entre as quais se registram inúmeras quedas, é de esperar que reencarnar seja uma nova chance de refazer o estágio em que não te foi possível assimilar todas as lições.

Diante da necessidade de vivenciá-las, é óbvio que os dias vão te cobrar empenho e determinação, a fim de conquistares o amadurecimento tão necessário à tua alma.

Enfrenta os problemas, como se representassem verdadeiras avaliações, solicitando que demonstres o quanto conseguiste aprender, e não como alçapões destruidores, prontos a engolir a tua alma, levando-te à derrota.

Em qualquer parte da Terra, sempre há quem te solicite dedicação e paciência. As menores e mais simples lições requerem esforço de aprimoramento, por isso, muitas vezes, apesar de todos os meios que utilizas para superá-las, elas teimam em permanecer como único recurso à disposição de Jesus para te fazer perceber que as condições de ultrapassá-las vão muito além do ponto até então atingido por ti.

Superando a Ansiedade

Se não tiveres, nesses momentos delicados, fé e esperança, serás enleado pelas teias da ilusão que te mostrarão, falsamente, que aqueles que vivenciam apenas as experiências materiais são fartos de realizações e felicidade e que, talvez, nunca tenham experimentado um momento de dor, sentido uma lágrima de aflição ou sofrido uma desilusão. Não, não te enganes!

Não passam todos de almas, buscando o seu próprio eu, vazias e solitárias, deixando-se arrebatar por tudo quanto lhes apela aos sentidos anestesiados pelo prazer desmedido que nada mais faz do que extenuar o seu viço, atirando-as, posteriormente, ao poço da solidão e do desespero.

Também não creias nas conquistas sem esforço, pois elas são o engodo das satisfações que logo se desfarão como névoa ante a insistência dos raios de sol.

Acredita apenas no amor e se tiveres que ser colhido por uma teia, que seja a desse sentimento inigualável que ensina sempre a relevar, que sustenta as almas em agonia e consegue dissipar as trevas ante a luz da fé.

Se, por acaso, mesmo assim te desiludires, agradece comovido a Jesus que consentiu que a teia das ilusões não mais te dissimulasse os sentidos para que eles não ficassem obscurecidos pelo êxtase dos desenganos que não te permitiriam perceber o quão distante do bem te encontravas.

E se, novamente, as teias da ilusão teimarem em te arrebanhar, possam encontrar-te servindo, pois, por serem efêmeras ante o bem, seguirão sem ti, deixando-te, definitivamente, liberto para a luz.

Natal dos pequeninos

Ante a tua mesa farta de Natal, silencia por alguns instantes e, mesmo que a distância ou as possibilidades te impeçam de ajudar, pensa nos pequeninos de alma, nos que sofrem, onde estiverem, porque eles também são filhos do Pai.

Estende-lhes a luz de uma prece e auxilia-os com o coração.

Não penses, apenas, nos miseráveis que, atirados às valetas da existência pelas mãos dos vícios degradantes, perderam os elos familiares que os sustentavam.

Não penses, apenas, nos que foram vítimas das intempéries e hoje não possuem mais um lar que os agasalhe.

Não penses, apenas, nos que estão vitimados por doenças incuráveis e permeiam os caminhos da revolta ou da solidão.

Pensa, também, nos que te agrediram e que não conseguem encontrar ressonância de perdão em tua alma.

Pensa, também, nos que enveredaram pelas rotas do crime e da violência contra os seus semelhantes, aparentando uma frieza que te convence de que eles não merecem outra oportunidade.

Superando a Ansiedade

Pensa, também, nos que violam a inocência das crianças, atirando-as ao lodo da prostituição.

Pensa, também, naqueles a quem as oportunidades ofereceram todas as chances de aprimoramento intelectual e que se chafurdam na correnteza da corrupção a favor próprio e no enriquecimento ilícito, à custa da miséria das massas.

Pensa, também, nos que envergam as togas que representam a justiça, mas que cometem as piores arbitrariedades.

Pensa, também, nos que juraram salvar vidas e agora usam da medicina para galgar os degraus da fortuna e da fama.

Pensa, também, nos que são tachados de irrecuperáveis em qualquer circunstância.

Eles, igualmente, são filhos do Pai!

O Pai espera que os aconchegues e lhes perdoes, removendo de dentro de ti a impositiva força de que tu és melhor do que eles. A reencarnação é para ti e será para eles a grande fatalidade da evolução. Para todos, sem exceção, ela é sempre a mestra incomparável, que submetida à Lei de Causa e Efeito vai fazendo surgir, diante de cada um, as lições de maior necessidade, exigindo esforço e aprimoramento, na maioria das vezes, ao preço de lágrimas amargas, mas purificadoras.

Se um braço teu adoece, tu não o amputas, mas procuras por todos os meios curá-lo, pois necessitas dele para te sentires pleno. Eles são membros do grande corpo chamado humanidade, estão doentes, em estado gravíssimo e requerem tratamento intensivo para se reerguerem das profundas moléstias morais que os acometeram a fim de que tais moléstias não tomem ares de pandemia e se incorporem, de maneira habitual, ao comportamento das criaturas desavisadas e distantes de Deus.

Não te permitas vivenciar sentimentos de ira e condenação e muito menos de vingança sob o disfarce da justiça. Nunca olvides que esses seres vorazes e frios precisam da piedade, pois não conhecem o amor e muito menos a paternidade divina. Muitas vezes, nem sequer conhecem Jesus.

Talvez suas vidas tenham sido totalmente vazias de tudo que tiveste e por isso te odeiam. Eles não são irrecuperáveis, ninguém o é. Evolução não é processo de castas. Todos caminharão em direção ao bem, a qualquer tempo.

À hora da ceia, pensa neles, nos pequeninos do Pai. E, se não fores capaz de orar por eles, perdoar-lhes e amá-los, então, entre todos, és o menor. Pois, sendo o que mais tem, és o que menos oferece, deixando exposta a imensa necessidade de Deus.

Superando a Ansiedade

O acaso não existe

Inúmeras vezes, o acaso é apontado como o carrasco que ceifa as melhores oportunidades de felicidade.

Lembra-te de que a maioria das criaturas, movidas pelo orgulho, tem enormes dificuldades em aceitar que o suceder dos acontecimentos faz parte de uma obra milimetricamente construída através do tempo.

Cada vida representa uma nova oportunidade de recomeçar e de refazer. Não podemos subordinar a infinita inteligência ao acaso e nem oferecer a este um poder acima da nossa própria capacidade.

Se hoje a vida te impõe obstáculos, podes ter certeza de que eles não chegaram pelas vias do acaso.

Deus, Inteligência Suprema, mas também Misericórdia Infinita, permite que os revivas agora, mais preparado, para olhá-los com outros olhos e entendê-los sob novas perspectivas.

Se, mesmo assim, continuas achando que não os mereces, que a existência deles é totalmente injusta, demonstras, claramente, o quanto te distanciaste de Deus e como precisas deles para crescer.

Se é atroz conviver com eles, se não encontras reservas de resignação e paciência para contorná-los, imagina como

Superando a Ansiedade

era o teu comportamento quando os construíste e o quanto já aprendeste desde então.

Se ainda agora, diante do apelo que eles fazem para que te aproximes de Deus, tu mais te afastas d'Ele, imagina qual era o teu sentimento pelo Pai, quando, negando todas as leis de amor e fraternidade, tu as ofendeste, criando o empecilho que neste momento atormenta a tua existência.

Mas, acima de tudo, não esqueças que o problema é do tamanho exato do tempo em que durar a dificuldade de aprendizado, principalmente para desenvolver em ti a fé e a perseverança que te tornarão um Espírito mais maduro para os enfrentamentos que ainda virão. Muitos obstáculos ainda atravessarão tuas reencarnações. Aguardam que lhes percebas o caráter altamente educativo e também desenvolvas a responsabilidade diante do que hoje constróis para os teus dias vindouros.

Faze o melhor que puderes, educando o pensar, o falar e o agir para que a tua obra futura seja realmente coroada de luz.

O amor e o saber

Há de chegar a época em que a ciência e a religião andarão de mãos dadas. Se uma contradisser a outra, com absoluta certeza, uma delas estará errada e terá a humildade de acompanhar a verdade.

Para que isso possa acontecer, o homem precisará abandonar a velha roupagem do orgulho e da vaidade, desnudar-se das superstições, das atividades empíricas e buscar, no esclarecimento, a fé raciocinada que, finalmente, poderá lhe oferecer todas as explicações para os acontecimentos da existência.

A sede do saber não mais conduzirá o ser à ambição e à presunção desmedidas e nem haverá mais necessidade de existirem contestadores para impor supremacia intelectual.

Para tanto, é necessário buscar-se um padrão moral diferenciado a fim de fazer-se brotar no íntimo o respeito ao próximo, sob quaisquer condições.

Não bastará aprender, mas será preciso exercitar-se para dignificar a vida.

Não bastará, apenas, que se cultive o saber, sem se aplicar o amor, pois um sem o outro desequilibra a sociedade. Sem o amor, a criatura torna-se déspota, a impor

Superando a Ansiedade

sofrimentos generalizados, e, sem o saber que elucida o amor, tudo que fizermos pode não passar de fanatismo desequilibrante a nos transformar em tolos.

O bem é sutil

Não esperes que o bem surja entre arroubos, a fim de se anunciar.

Essa é a condição precípua do mal.

O mal tem necessidade de arrebatar sempre e de se fazer notar onde age.

Quando desponta, o faz em diversos lugares e em muitos corações a um só tempo. Assola como calamidade e vem, de forma convincente, dizer que está no domínio do mundo.

Aqueles cujos olhos não são bons, cuja alma está descrente, cuja mente está vazia, cujas mãos repousam no prazer do ócio, deixam-se levar por essa afirmação. Dizem que o bem os abandonou e nada fazem para combater o mal.

Perguntam onde está Deus nos momentos em que o mal se abate sobre a Terra.

Esquecem-se de que Deus está dentro de cada um, respeitando as escolhas que fazemos, mesmo que isso represente um caminho de dor estabelecido em nossa caminhada.

O bem é sutil. Tão sutil que nos adentra, muitas vezes, a alma, desanuviando as sombras que lá existem, sem que possamos perceber.

Superando a Ansiedade

Dissipa, pois, a investida do mal que te iria estiolar, sem que nada sintas.

O bem sempre está onde, aparentemente, nada acontece, pois sua tarefa é impedir o avanço do mal.

Quantas vezes, seguindo o trajeto diário, por um instante de aparente distração, ausentamo-nos da rota prevista e, sem nos darmos conta, é o bem que atua silencioso, desviando-nos de um incidente, às vezes de graves proporções.

O bem é capaz de criar atrasos que, aparentemente, inconvenientes, se transformam em verdadeiras bênçãos.

Intervém silencioso nas conjunturas de nosso organismo, erradicando vírus e bactérias antes que pudessem agir a nosso prejuízo, sem que lhes experimentemos, nem sequer, os primeiros sintomas.

Na maioria das vezes, a inexistência do mal é a própria ação do bem que nos passa despercebida.

Que possamos fugir das praças da ostentação e do orgulho, da inveja e do desamor onde o mal se anuncia vencedor.

Que possamos mergulhar na prece ao encontro do bem, engrossando as suas fileiras silenciosas, mas ativas. Assim, mesmo que o mal tente se assenhorear de nossos dias, que a convicção do bem não nos permita o desespero e nos possibilite a certeza de que, de forma anônima e sutil, o bem permanece agindo em nós, a todo instante.

O fardo de cada dia

A cada dia, o seu fardo. Jesus disse que não deverias te inquietar pelo dia de amanhã.

Percebendo as disposições da alma, o Mestre considera que cada dia se baste pelo que traz consigo.

Mas a ansiedade, o desejo desmedido, muitas vezes te atira em direção ao amanhã que nem sequer podes afirmar que viverás.

Cada dia traz consigo a preciosa lição de que já guardas condição de aprender. Se ele te é um fardo, podes ter certeza de que esse fardo será leve e o jugo suave, caso não busques nada para além das tuas possibilidades.

Não te canses pelo que não viveste e não te tornes vítima pelo que não chegou.

Busca a constância da prece, que orienta e fortalece, para que, diante do fardo de cada dia, possas tirar o melhor proveito.

Que ele não te abata o ânimo, a confiança e o firme propósito de crescer e que nunca te surpreenda ocioso, a fim de não atingir dimensões desnecessárias. Que te encontre atento para seres tu quem o surpreendas, e que a bênção do trabalho represente sempre a companhia segura junto de ti, porque é dele que retirarás o verdadeiro sustento da alma.

Superando a Ansiedade

Que o fardo de cada dia venha acrescentar mais luz à tua jornada e que, para além dele, prossigas, renovado e feliz, a tua caminhada para o Cristo.

O recurso da prece

Se estás diante de um problema que te parece insolúvel, não ofereças guarida à revolta nem ao desânimo.

Abriga tua alma, numa prece fervorosa e busca força para suportares, com resignação e à sombra reconfortante dos amigos espirituais, a prova pela qual passas. De que te vale desistir para, mais à frente, retomar a luta, às vezes já enfraquecido pela refrega anterior.

A oração feita no silêncio de nossos corações nos transporta aos cumes do céu.

A alma transborda esperança.

A esperança reanima a fé.

A fé nos torna fortes.

A força nos dá coragem para lutar.

A luta nos enche de ânimo para vencer.

O ânimo nos traz a vontade de ser feliz.

A felicidade nos faz sentir o amor.

O amor nos conduz a Deus.

Superando a Ansiedade

Obstáculo abençoado

És, sutilmente, treinado pelas fileiras do mundo para te comportares como soldado sempre pronto para a batalha. Trazes, incutido na mente, o pensamento recorrente que te exige vitórias consecutivas. Tua ordem incessante é aprimoramento e conquistas. Tua coragem tem que ultrapassar muitas vezes os limites da lealdade, para ser promovida consecutivamente.

E, diante dessa maratona interminável de conquistas do nada, não percebes os sinais de cansaço do teu corpo que, por fim, é tomado pelas síndromes de todo porte, arrebanhando-te a vivência de longos anos abreviados pelas doenças limitadoras ou até mesmo pelo suicídio.

E, para muito além, não te recordas das necessidades veementes de tua alma distanciada do Cristo, sob suplícios desesperadores, a caminhar pelos despenhadeiros da dor e da imoralidade, tantas vezes, simplesmente para atender as imposições de uma sociedade déspota e desnuda de amor.

E, nesse instante, a misericórdia infinita de Deus te permite ombrear com a dor, que exercerá a função do freio retentor das tendências que outrora já foram motivos de lágrimas e desespero, mas que, infelizmente, ainda não se

Superando a Ansiedade

transformaram em lições inesquecíveis a apontar novos caminhos.

E, se essa dificuldade, por ventura, limitar os alcances de teus objetivos, mesmo assim agradece a intercessão divina, pois esta, embora dura, é também renovadora e não te deixa esquecer que, muito além dos desejos momentâneos de um corpo, segue uma alma em eterna caminhada, alma que, quando banhada pelas lágrimas, recorda-se de Jesus e volta a sentir a necessidade redentora de recomeçar.

Obstáculos

Quando os obstáculos te surpreenderem a marcha, não te julgues abandonado pela misericórdia divina.

Só entregas tarefas importantes às pessoas em que confias.

Lembra-te de que as provas que te chegam, carregam consigo a confiança irrestrita do Pai em tuas possibilidades, reafirmando-te as qualidades que, muitas vezes, ignoras possuir.

Se te julgas sem forças para superá-las, examina minuciosamente as tuas reais condições e, com certeza, descobrirás, no íntimo, tesouros infindáveis que te colocarão em vantagem absoluta perante as adversidades.

Não ajas sem antes abrigar-te na prece sincera, abrindo o coração e permitindo que ele regurgite de amor, um amor capaz de aniquilar os espinhos que poderiam ferir-te a qualquer instante.

Segue resoluto e avança pelas sombras que, por ventura, surgirem diante de ti, a fim de que possas distinguir a luz que, mesmo tênue, te aguarda do outro lado, garantindo-te a travessia.

Os obstáculos nada mais são do que oportunidades renovadas de aprendizado e é natural que te deixem inseguro, porque emergirá de teu inconsciente a sensação de que, em algum instante, faliste ante o funesto acontecimento.

Esse deve ser o motivo primordial a te fazer prosseguir, ciente de que ali está a grande chance de mostrar a ti mesmo que conseguiste angariar, em novas experiências, a capacidade de ultrapassá-lo.

Não te detenhas senão pelo tempo suficiente para analisar a questão e seguir adiante.

Munido de fé, podes permanecer confiante de que não segues a sós e que, se a trajetória for longa e as forças te faltarem, por sua vez, não te faltará o reforço da espiritualidade amiga a suavizar a empreitada, luarizando-te a alma com o amor do Cristo.

Olhe para trás

Quando teus olhos se nublarem ante o pranto da amargura;

Se a dor invadir-te, sorrateiramente, a alma desprevenida;

Quando teus sonhos se desfizerem ante a crueza da realidade;

Se a vicissitude dolorosa te visitar a existência;

Quando a dificuldade te cobrar reflexão ou te ameaçar com o desânimo;

Se a solidão se fizer constante em teus dias;

Quando a enfermidade surgir, pedindo-te paciência e renovação;

Se a fome moral testar a tua fé;

Quando, enfim, tudo conspirar para creres que estás abandonada...

Olha à tua volta, vê quanta dor aguarda comiseração;

Vê quantas mãos se estendem, solicitando o resguardo do teu socorro;

Quantos olhos tateiam mergulhados na escuridão;

Quantas bocas se encontram vítimas da afasia;

Quantas mãos estão abatidas pela paralisia;

Quantas mentes desconexas lutam e clamam por

piedade, para serem atendidas nas suas mais ínfimas necessidades;

Quantos corpos inertes mantêm-se aprisionados a leitos de infinita dor;

Quantos os desesperançados, os amargurados, os descrentes, os famintos de luz, os deserdados de Deus...

E, perante todos eles, ergue em tua alma um hino de profunda gratidão ao Pai, porque és dos que podem seguir adiante, muitas vezes tateando ante os obstáculos, mas com absolutas condições de vencê-los.

Só por isso és alma feliz que deve seguir, sem titubear, no rumo de Deus.

Parentes difíceis

Os parentes são Espíritos atrelados a nós, por infinitas razões que, na maioria das vezes, não conseguimos perceber.

Nem sempre que nos injuriam ou agridem, o fazem porque estamos em débito com eles.

Muitas vezes pertencem à categoria de Espíritos aos quais nos ajustamos e guardam, entre suas necessidades, a emergência de aprender as mesmas lições que nós.

Assim sendo, abrigados pela misericórdia de Deus, fomos guindados à condição precípua da consanguinidade, a fim de que o amor pudesse santificar as chagas que ainda sangram, porque cultivadas pela insistência do ódio e da agressividade.

É no lar, sublime oficina de almas, que temos a oportunidade, diariamente renovada, de nos tolerar, exercitando através do auxílio mútuo, nossos primeiros passos no amor.

Ninguém há em condições de apontar defeitos, pois somos todos necessitados de alma, a rogar a compreensão uns para com os outros em vários momentos da nossa existência.

Deus reveste-nos de pais ou filhos, irmãos ou cônjuges,

Superando a Ansiedade

a fim de que descubramos a infinita necessidade que temos uns do amparo dos outros.

Brinda-nos com a misericórdia do esquecimento, para exercitarmos o devotamento e o amor, única ponte a unir os extremos da alma, separados pelo abismo da ignorância.

Esforcemo-nos para amá-los o quanto pudermos, mas, se apesar de todos os esforços, tivermos que nos apartar deles, oremos por eles e principalmente por nós, a fim de que saibamos compensar a distância com o exercício do amor onde estivermos, sem nos esquecermos de que somos todos mendigos do amor do Pai.

Pensamentos deletérios

Tomas conhecimento das questões ambientais da Terra e cobras providências das autoridades a quem atribuis a responsabilidade de solucioná-las.

Observas os bolsões poluidores, a envolver as grandes metrópoles e conjecturas que tudo não passa de acúmulo de gases e outras substâncias que tomam conta da atmosfera e vêm a prejuízo de tua organização biológica, buscando os culpados por tais inconvenientes.

Atemorizas-te ante as devastações impiedosas, que ceifam milhares de árvores, as quais poderiam beneficiar o ambiente com a produção do oxigênio mantenedor da vida.

Tudo que represente alterações maléficas te preocupa, pois já desenvolveste certa consciência de preservação do meio ambiente.

Porém essa preocupação, por ora, somente engloba os fatores externos.

Esqueces-te das emissões internas, oriundas do teu íntimo, na forma de pensamentos deletérios, que também empesteiam a atmosfera, submetendo-te aos seus efeitos não menos danosos e também capazes de sobrecarregar o ambiente onde vives. Multiplicam doenças que atingem

Superando a Ansiedade

o teu físico, às vezes de forma grave, pois é o mal que procede de ti mesmo e contra o qual não efetivaste as providências urgentes e necessárias, quais sejam a prece e, principalmente, a reforma moral, de mais difícil solução do que todas as outras poluições de origem material.

Apressa-te a pensar no bem, para que o bem possa sanear-te a alma e refletir, então, na melhoria do mundo que habitas.

Perdoa sempre

Se transitas pelo mundo físico, sofrendo injúrias e ingratidão, perdoa.

Recorda-te da distância que já percorreste, no incessante suceder das reencarnações e de quantas vezes tu mesmo necessitaste ser perdoado em tuas ofensas.

Se hoje te descobres incapaz de repetir tantas atitudes que vieram a prejuízo do teu próximo, por certo, em algum trecho da tua estrada, tu já encontraste Jesus.

Lutas, sem dúvida alguma, com vastos inimigos no imo da alma, para fazê-la crescer em dotes de amor e paz.

És o aluno que venceu dolorosa lição e, na companhia do Mestre amorável, busca o crescimento espiritual na labuta do servir.

Para tanto, não te esqueças de que irmãos menores ainda estagiam muito próximos da animalidade ou perderam-se na intelectualidade sem amor que os transformou em déspotas carentes de entendimento e perdão.

Se te vires agredido por qualquer um deles, não esqueças os que, caminhando adiante de ti, perdoam-te seguidamente, tomando-te à conta de doente necessitado de conforto e estendem-te a mão, convidando-te à convalescença.

Superando a Ansiedade

Faze o mesmo para com aqueles que vêm atrás de ti, a fim de que não te sintas envergonhado, sempre que rogares amparo.

Lembrando-te dos teus próprios erros, encontrarás em teu coração, os mais dignos motivos para perdoar sempre.

E perdoando, com certeza, seguirás em segurança ao encontro de Jesus.

Persevera no bem

Neste mundo cercado de abismos incompreensíveis, vemos ombrear o progresso tecnológico, as fortunas magistrais, as divisas aplicadas na compra de material bélico, sustentando guerras odientas, com a fome que mata seres na mais tenra idade, com o desamor pelos deserdados, com a falta de ética, com a ausência de compaixão para os desabrigados, para os estiolados pela seca. Poderemos, então, convencer-nos de que a humanidade está à mercê de seus desequilíbrios e de que fomos sumariamente abandonados por Deus.

Se questionas por que o Criador permite tal avalanche de calamidades e destruição sem, aparentemente, nada fazer, te afirmamos que Ele espera pelas tuas mãos na ação constante no bem e no amor.

A beleza da criação está em toda parte. Ela é a manifestação real do bem. Ela está no firmamento azul, no canto dos pássaros, no verde majestoso das matas, nos rios de águas cantantes, nos mares caudalosos cujas ondas se desmancham suaves ante a areia branca e morna, na flor que se abre a toda manhã, em cada criança que sorri.

Toda a beleza da Terra expressa o apelo de Deus para que nunca te esqueças do Seu amor por ti e por todos, rogando-te que faças o bem sob qualquer circunstância, sem temer o suposto, mas irreal, avanço do mal.

O que vês sob a tormenta da dor, são Espíritos asselvajados que desperdiçam a sublime oportunidade de modificar-se e que expressam os seus vagidos de dor e agonia, numa última tentativa de revide, agindo no mal e na criminalidade porque eles não acreditam no bem.

Mas tu que já conheces Jesus, persevera no bem e mesmo que atravesses o vale das sombras, da agonia ou da solidão, se tiveres fé e insistires no bem, Deus caminhará contigo.

Possibilidades

Quantas vezes sonhas em ocupar cargos para cujas exigências percebes não reunir condições suficientes.

Quantas vezes gostarias de chamar a ti responsabilidades para as quais sabes não estar preparado.

Como te sentes inferiorizado ao perceberes dons que anseias para ti em criaturas que julgas inadequadas para tal cometimento.

Quantas vezes procuras desfazer as boas impressões que se projetam sobre alguma pessoa, simplesmente porque não consegues igualar-te a ela.

E assim, campeando pelo sol das inquietações, anulas infinitas e reais oportunidades que existem em ti e que poderiam ser ampliadas pelo teu trabalho e dedicação.

Quando perceberás que és o que conquistaste, que te encontras, mediante isso, no melhor contexto, adaptado às tuas condições evolutivas, carregando, em gérmen, inúmeras possibilidades não exploradas até o momento, a teu próprio benefício?

Examina o campo de tuas tendências para melhor entenderes as circunstâncias que te envolvem a existência. Aceita as limitações como mestras, a poupar-te futuras

Superando a Ansiedade

dores, e explora virtudes que insistes em ignorar e que te poderiam impulsionar a novas e incomparáveis aquisições.

Vê, em cada acontecimento, a seara de bênçãos do mundo maior, a conspirar pelo teu engrandecimento e percebe que, enquanto te lamurias pelas possibilidades que não tens, vais perdendo outras tantas, talvez mais valiosas, as quais te favoreceriam o crescimento interior.

Sábio é quem consegue enxergar que tudo quanto sabe é irrisório, ante o que necessita aprender e, reconhecendo isso, não desiste jamais.

Preciosa oportunidade

Se teus anseios não encontram eco na realidade.

Se, diante da vida, te sentes, muitas vezes, como náufrago de perigosa tormenta.

Se o campo físico de que dispões não se apresenta como queriam as tuas expectativas.

Se o teu campo profissional não te corresponde ao devotamento.

Se o grupo familiar surge como um aglomerado de Espíritos que nada têm a ver contigo.

Se buscas, incessantemente, por amigos fiéis que nunca chegam.

Se trazes a alma mergulhada em eterna noite povoada de pesadelos.

Se, apesar dos esforços, não consegues mais pronunciar uma sentida oração.

Se ainda te acreditas infinitamente mais necessitado de pedir do que de agradecer.

Se tens certeza de que Deus cometeu um engano contigo.

Pensa melhor...

Tu estás diante da mais importante de todas as reencarnações que já tiveste.

Superando a Ansiedade

As demais se foram e só podes vê-las através do retrovisor das tendências que te imploram transformação imediata. Hoje, no livro de tua existência, tens uma página em branco onde te é permitido escrever a seqüência de tua história, o que podes fazer com tintas do bem ou do mal, de acordo com o proceder.

Antes de iniciá-la, numa prece, renova o ânimo e faze o melhor que puderes, pois sendo a finalização do teu ontem, é também o alicerce do teu amanhã.

É mais uma preciosa oportunidade que Deus te concedeu para fazeres o melhor por ti, fazendo o melhor por qualquer um que estiver ao teu lado.

Presente precioso

Tens escolhido a companhia constante da inquietação que busca satisfações imediatas e é isso que usas para construir os dias de amanhã.

Freias inúmeras vezes a marcha de hoje, para avançares no planejamento ocioso de um futuro que não sabes se poderás concretizar.

Tampouco podes afirmar se te será permitido vivenciar os teus sonhos nessa mesma reencarnação ou se eles te são convenientes.

Já paraste a pensar que te é impossível reter o escoamento do tempo, aprisionar a eternidade e, até mesmo, definir uma simples e irrisória hora de tua existência, sem contar com os teus atos de agora?

Estás de posse de bens incomparáveis que postergas à ferrugem e à traça porque não te permites usufruí-los com afinco e responsabilidade, na grandeza do instante que te é permitido vivenciar.

O agora que te pertence é, na realidade, o mais precioso presente porque retém, em si, o poder de te ofertar a condição de construir, como te aprouver, os alicerces do amanhã o qual, com certeza, te atingirá, seguindo a sequência lógica do que fizeres agora.

Superando a Ansiedade

Não te percas, supondo um porvir diferenciado da destinação que lhe oferece a tua vida de hoje.

Não planejes além do que te é dado vivenciar, para não seres dos que passaram pela vida, sem vivê-la; dos que se perderam em devaneios e se eximiram do trabalho exigido para a construção de cada instante.

Segue o exemplo de sabedoria dos que reconhecem o equilíbrio da Lei de Causa e Efeito e nunca olvides que teu último momento na vida física, fatalmente será o primeiro da vida espiritual.

Concretiza-o no amor, porque quem sonha, sem nada construir, se surpreende, um dia, ao saber que nada realizou.

Queixas

Esforça-te ao máximo para que não cries o hábito da queixa contumaz diante do obstáculo de menor ou maior porte que te assuma à existência.

Ao identificá-lo, tenta estabelecer a serenidade necessária para que a solução possa ser encontrada.

Com o coração preenchido de esperança, nunca te esqueças de Jesus, o divino amigo, e procura entender-lhe os desígnios que te buscam por meio da dificuldade, solicitando-te empenho e aprimoramento.

Que a força, porventura despendida no queixume, transforme-se em combustível para continuares destemido na busca de resoluções, mas, acima de tudo, que te incentive a ampliar a capacidade de refletir e te impulsione à meditação e à prece.

Nunca te desvincules do bem e procura, mesmo, olhar ao redor, a fim de que percebas que não és a única criatura imersa na dor, seja ela de ordem física ou moral, mas, certamente, és daquelas que, apesar de tudo, ainda podem auxiliar, crescendo para o amor.

Não te permitas estacionar na revolta que congestiona o benefício da evolução, na dúvida que corrói a alma ou no desânimo que desarticula a capacidade de seguir adiante. Muito menos questiones o amor do Pai por ti. Por si só, a dificuldade já te fala d'Ele voltado para o teu ser, impulsionando-te para a frente, aguardando que consigas perceber a gama infinita das tuas possibilidades.

Não te deixes abater nesse momento. Aplica-te à lição de difícil aprendizado, pois ela representa a chance ímpar, numa oportunidade singular, de descobrir que és feito de amor e que reúnes em ti a sublimidade do universo. Ela te solicita ação e te faz alçar o voo da magnanimidade, amparado pelas asas da sabedoria e do amor.

Sim, tu és feito de amor e ele te fará atravessar o vale das sombras e da morte e te permitirá despertar na luz de um novo amanhecer.

Recolhe-te em paz

À semelhança do que fazes ao amanhecer, quando te deténs, por largos minutos, a retocar a tua aparência para te apresentares bem aos compromissos que se desenrolarão no transcorrer do dia, deves aprender a preparar-te nos instantes que antecedem o sono físico reparador.

Não te permitas adormecer, sem antes dedicares alguns minutos a analisar os teus atos desse dia, a limpar a alma do acúmulo de sentimentos negativos que são verdadeiro lixo armazenado sem outra função senão a de originar prejudiciais doenças físicas.

Repassa na tela mental tudo que pensaste, disseste e fizeste. Qual observador justo, julga a ti mesmo, com a rigidez que requer a atitude, e não te autoriza qualquer tipo de desculpa menos nobre.

Lembra que, com certeza, problemas te visitaram, mas que também dádivas se acercaram de ti, enriquecendo as tuas horas e não te esqueças de agradecê-las.

Observa se te esforçaste em fazer todo o bem que podias ao próximo e, cerrando os olhos, procura aproximar-te dos bons Espíritos, sempre vigilantes ao lado daqueles que lhes solicitam a presença.

Atesta que estarás com eles nas horas que se

Superando a Ansiedade

seguirão para que não sejas mais uma alma sonâmbula, desperta apenas para os valores do mundo, distante da grandiosidade de Deus, a perambular na madrugada, arrebatada por Espíritos menos felizes, a antros de prazer e dor, angústia e desdita moral.

Ergue-te, das lutas de cada dia, pela prece bendita, aos páramos de luz que envolvem a alma que busca o leito, para recolher-se em paz, na paz que somente a consciência tranqüila do dever cumprido com Jesus pode oferecer.

Recursos

Por veres vencer na Terra, com tanta facilidade, a calúnia, a corrupção, o vício, o orgulho e a vaidade, o poder desmedido, o ódio e o desamor, acreditas que o planeta já não tem mais chances de recuperação.

Por todo lado, as criaturas, facilmente, se convencem de que precisam aderir à opinião da massa para vencer e de que ser feliz é apenas uma questão de saber aproveitar as oportunidades, e até às vezes, criá-las, manipulando pessoas e situações, sem o menor escrúpulo.

Diante desse cenário desolador, muitos são os que se deixam abater e tomar pela falta de esperança. Mergulham em depressões de largo curso, permitem-se arrastar por situações que julgam insuperáveis e perdem a alegria de viver.

Há também os que anestesiam os sentimentos com o uso de entorpecentes. Caminham, a passos largos, para o suicídio ou adentram o crime a fim de poder sustentar os próprios vícios, numa generalização da nulidade do ser humano.

Deus é uma figura mítica criada pelos fracos, a fim de se refugiarem em algo superior para justificarem a sua falta de atitude.

Superando a Ansiedade

A religiosidade é saída para a ignorância e o fanatismo.

A instituição da família dá ares de falência total, constituindo-se numa quimera que muitos almejam e poucos conquistam.

O amor é facilmente substituído pela gama de interesses mesquinhos e passa de envolvimento elevado de almas para sociedade na qual, em primeiro lugar, se visa aos interesses individuais.

Se é assim que o cenário da Terra se apresenta aos teus olhos, estás iludido e não tens a menor dimensão do amor de Deus por todos nós. Negas a direção amorável de Jesus e a grande fatalidade da evolução.

Por mais que cada um te pareça desvalido, existem recursos inesgotáveis em suas almas que permanecem obscurecidos pela lama da ignorância. Se, por ora, não podem ser percebidos, com o despertar do amor, surgirão como epidemia. Tomarão conta da Terra, a partir de cada coração.

Nesse instante, o trigo sobrepujará o joio e as possibilidades a favor do mal se esgotarão sobre o planeta.

Ante o recurso do amor, a dor se erguerá em debandada e a paz reinará em toda parte.

Reencarnação

Vives hoje uma nova etapa de tua vida espiritual, desta vez mergulhado na bênção do corpo físico.

Talvez ela não te pareça o que mereces e muito menos te dê motivos para alegria.

Quem sabe ela mais te pareça um empecilho à realização de teus sonhos e te sugira que desistas, sem mais demora?

Antes que a faças naufragar, recorda-te da bondade infinita de Deus e de que Sua justiça inabalável, assim como Seu amor, não encontrariam razões para te situar num lugar indevido.

Procura em ti as necessidades que te impuseram as situações que vivencias e empenha-te em fazer o melhor.

Recorda que, antes de voltar à Terra, muitos amigos se empenharam, sem medir esforços, para que tudo se concretizasse de maneira a proporcionar-te o melhor aproveitamento, no sentido de liberar-te de pesados grilhões que te sobrecarregavam a alma.

Ela é apenas um trecho da longa estrada que te compete percorrer, com afinco e esperança, para alcançares o teu destino final.

Sê grato a Deus e torna tua vida um celeiro de bênçãos

Superando a Ansiedade

onde possas aprender a cultivar o amor, servindo e amando em qualquer circunstância.

Nunca olvides os que ansiavam por estar no teu lugar, a fim de poderem avançar rumo à luz capaz de remover-lhes as sombras da dor a envolver-lhes as almas aflitas.

Quando fraquejares, ora para encontrares ânimo de prosseguir e de fazer tudo que podes, e quando partires, poderás, finalmente, afiançar o que representa a dádiva da reencarnação.

Relações tempestuosas

Os Espíritos que se candidatam a uma nova reencarnação e recebem essa dádiva, não são almas criadas naquele instante.

Trazem consigo uma imensa bagagem adquirida no suceder das vidas.

Carregam em si méritos e falências que vêm colocar em prática no cadinho da nova oportunidade, umas para serem aprimoradas e outras para serem vencidas.

Por necessidades das conjunções físicas, chegam desguarnecidos de condições próprias para se cuidar, sendo abrigados na infância benfazeja para haurir os ensinamentos que o lar possa lhes oferecer pelo amor e pela dedicação de genitores abnegados.

Mas, infelizmente, para preocupação das hostes espirituais, o que mais encontramos hoje são relações firmadas sobre propósitos muito distanciados da nobreza do amor.

Afetos atormentados pelos sentidos vagam entre a licenciosidade e o desvario, submetidos às convenções do prazer sem responsabilidade.

Convivências que não experienciam o amor e a confiança e não se encontram capazes de criar elos fortes o

Superando a Ansiedade

suficiente para sustentar os parceiros ante as necessidades do aprimoramento moral.

Relações que mantêm uma liberdade sem respeito e sem laços de afetividade, troca dos sentimentos nobres que alimentam almas unidas num objetivo comum, por outros nada elevados, são comprometimentos que estabelecem profundos desvios psicológicos e induzem, desequilibradamente, a fugas espetaculares pela futilidade das sensações que esvaem as energias sacrossantas apenas sustentadas por um matrimônio com Jesus.

E tudo rui, carreando consigo a fragilidade de almas que, tão logo imersas no oceano da vida, já começam a sentir-se náufragas perante as responsabilidades que as aguardam no porvir, a fim de liberá-las das amarras impostas na vivência desorganizada e limitada pela realização dos objetivos imediatistas, atrelados às satisfações biológicas.

E o mundo, que está programado para evoluir, se vê diante de tempestades que poderiam ser evitadas e mergulha em compromissos dolorosos, arrastando consigo os Espíritos fragilizados, nos redemoinhos da imoralidade, ceifando oportunidades enobrecedoras daqueles que teimam em se distanciar de Deus.

Busca o amor sincero e não temas, pois se os obstáculos surgirem, o amor proverá as condições de superação e não te esqueças de acolher, com carinho e gratidão, as almas que te forem confiadas por Jesus, para serem reeducadas à luz da dignidade e do amor, a fim de conseguirem sobrepujar as deficiências de outrora.

Para tanto, faz-se necessário que o teu relacionamento conjugal seja pautado nas bases do amor sincero, do respeito mútuo para que nele existam os alicerces seguros de um verdadeiro lar. E o amparo da espiritualidade maior, estabelecendo a paz entre todos os que dele participam, possibilitará que as relações tempestuosas do passado sejam vencidas pela harmonia, sob as bênçãos de Jesus.

Sagrado repouso

É inegável que, diante das refregas de nossos dias, a fadiga nos alcance, solicitando-nos o repouso inadiável.

Não apenas o corpo necessita dele, mas acima de tudo a própria alma precisa refazer-se de sua estada na Terra, liberando-se, momentaneamente, dos encargos a que se submete para aspirar um ambiente de paz renovadora, recordando-se de sua origem, recobrando ânimo e força, a fim de prosseguir.

Quantas vezes, no decorrer da vida, nos períodos de férias, por direito a nós estabelecidos, ao invés de repousar e de nos refazer, caímos na estafa das energias, por atividades desgastantes. A título de comemorações, nos entregamos aos vícios degradantes que insistimos em chamar de diversão e relaxamento.

E ao retornarmos ao trabalho, apenas mudamos de atividade, cultivando, da mesma forma, o processo de exaustão física, mental e espiritual.

Refrigeremos, antes de tudo, a própria alma, refazendo-a do cansaço, em atividades condizentes com a manutenção do nosso equilíbrio e que, nem sempre, encontramos nas costumeiras coisas do mundo, mas, infinitamente, nas suavidades que apenas o céu pode nos ofertar.

Não raras vezes, descansamos muito mais, submetendo-nos a um estado de meditação, ouvindo uma música tranquilizante, lendo um bom texto, contemplando uma paisagem, conversando saudavelmente com um velho amigo, recordando a infância ou a mocidade, fazendo um gesto de solidariedade ou uma demonstração de amor...

E não nos esqueçamos, a pequenos espaços de tempo no transcorrer do dia, mas, principalmente, nos momentos em que ele se inicia ou termina, de nos refugiar na prece revitalizante que, com certeza, irá luarizar o céu de nossa alma, renovando-nos ante a presença de Deus.

Saúde espiritual

Quantos sacrifícios muitas vezes te impões para buscares a realização da felicidade por meio da conquista de bens materiais.

Quantas vezes buscas prevenir que as doenças te visitem de surpresa, apelando para avaliações médicas seguras que te possam oferecer saúde mais prolongada.

No entanto, não ages com o mesmo afinco com o trato de tua saúde espiritual.

Não te empenhas em prevenir o ciúme e a ganância, o ódio e a ociosidade, e permites que se infiltrem no coração, deteriorando a saúde do teu espírito.

Não sentes ainda necessidade de enxergar e buscar o bem em quaisquer circunstâncias, na certeza de que vale a pena investir tuas energias nele.

Não consegues reagir ao mal senão da mesma forma, e muitas vezes, és convencido de que o amor está perdendo terreno sobre a Terra.

Buscas Jesus somente nas horas de íntimo desgosto ou extrema aflição e nunca por tempo suficiente para te convenceres de que Ele jamais te abandonou, embora o tenhas esquecido inúmeras vezes.

Ainda não sentes necessidade de auxiliar sempre

Superando a Ansiedade   185

como lenitivo para os instantes de dúvida ou desilusão, a fim de descobrires, apesar de tudo, que és infinitamente mais feliz que muitos outros a quem poderias ser útil.

A cada dia te sobrecarregas de cargos e encargos desnecessários, postergando, quem sabe, para amanhã, as necessidades espirituais, quando o desequilíbrio talvez já tenha tomado, de forma irrecuperável, a tua alma. Necessitarás, então, de novas e sofridas empreitadas na reencarnação, em corpos disformes e em mentes limitadas, para aprenderes por um lado, o valor de cada dia e de cada ação; por outro, a administrar as oportunidades.

Consegues estreitar a visão a tal ponto que afirmas necessitar de tantas coisas dispensáveis e dispensas tantas coisas necessárias, supondo-te um corpo organizado por uma genética autossuficiente, negando a alma que és, fruto do amor incondicional do Pai.

Sente a tua grandeza espiritual e cuida da saúde, acima de tudo pela prece e pela dedicação ao bem, para que todo o resto, que é mera consequência, te seja acrescentado.

Se fores com Jesus

É óbvio que aos olhos e ao tato, o mundo tem muito mais a te oferecer. Numa primeira observação, somente o mundo detém o poder de te fazer feliz.

Principalmente, os apelos constantes da mídia fazem-te julgar que o mundo é um campo de sonhos e felicidade.

Mas o que se vê senão Espíritos que conquistam para logo mais cansar-se e perder?

Almas atônitas, rodeadas de bens materiais e totalmente vazias por dentro.

Amizades de conveniência a destruir todos os elos que poderiam ser fortalecidos pelo amor.

Os apelos para que adquiras cultura, para que a cultura te dê poder e o poder te ofereça posição social, e ao fim de tudo, criaturas em pânico, exauridas de paz, sem descanso e sem guarida.

Não te percas pelo ouro. Ele não te pertence. Ele muda de mãos sem aborrecer-se. É de quem mais ofertar.

Mas o teu Espírito... o teu Espírito precisa de Jesus.

Se fores com Jesus, talvez não tenhas tantos amigos, porque Jesus não disponibiliza conveniências.

Se fores com Jesus, talvez não recebas tantos convites

para festas, porque te tacharão de estranho e visionário, quiçá louco e fanático.

Se fores com Jesus, talvez ninguém te ofereça o poder de um cargo elevado e de confiança, porque não sabes ser ganancioso.

Se fores com Jesus, caminharás na contramão dos interesses mesquinhos e das associações indecorosas.

Se fores com Jesus, tua consciência te acusará mais vezes e te cobrarás mais mudanças a cada dia, perdendo a paz e deixando a ociosidade moral.

Se fores com Jesus, não te sentirás à vontade para trair e maldizer.

Se fores com Jesus, a estrada não será asfaltada por sociedades inescrupulosas, mas coberta por pedriscos que te causam desconforto e isolamento e assim, te exigirá muito mais esforço para prosseguir.

Se procuras, enfim, ser feliz para muito além de tudo que o mundo possa te oferecer, precisas do amor e o amor, só encontrarás, se fores com Jesus.

Se nada tens

Talvez julgues que nada tens. Deves naturalmente agasalhar sonhos e traçar objetivos que muitas vezes não irão se concretizar.

Não estabeleças metas de felicidade em direção àquilo que ainda não conquistaste.

Aprende a sentir a felicidade, não pelo que possas possuir e sim, pelo que és.

Percebe o universo do teu ser para te sentires feliz. Lembra-te de que és luz desprendida do todo de Deus e, por isso, a felicidade é um sentimento inato muitas vezes despercebida ou que insistes em submeter a coisas ínfimas e frívolas das quais, realmente, não necessitas.

Recorda-te de que és constituído de células, mundos individuais que se renovam a cada instante, sustentados pelos impulsos de teu estado mental e emocional. Por conta disso, podem ser perfeitos ou defeituosos e, assim, só te liberarás ante a renovação íntima e a sólida edificação de valores morais no solo de tua alma.

Por isso, apressa-te a pensar o melhor para construíres equilíbrio em ti e, independentemente do que tenhas, que sejas um mundo onde a felicidade resplandece como vestígio de Deus em ti.

Superando a Ansiedade

Se, por qualquer questão, afirmas que nada tens, com certeza desconheces tua origem divina, não dispões, assim, de condições para aquilatar os tesouros que possuis e, portanto, és alma que caminha na sombra de ti mesmo.

Sensações desagradáveis

Há momentos em que sensações te invadem a alma de forma repentina, arrastando consigo uma tristeza enorme e um mal-estar inexplicáveis, tornando-te uma criatura queixosa e, às vezes, até desistente.

És um ser eterno, mergulhado na reencarnação, para vivenciar uma etapa a mais na caminhada espiritual e, pelos canais que interligam tua alma ao corpo, podem fluir sensações originadas no passado, que vêm cobrar urgentes mudanças de conduta, a fim de não te perturbarem a continuidade da vida.

Nesses instantes, deves não só refugiar-te na prece, mas redobrar a atenção sobre tudo que pensas, dizes e fazes, para que não repitas erros pelos quais estabeleceste os caminhos que hoje trilhas, a fim de corrigi-los oportunamente.

Jamais te esqueças de que, a cada momento, és o construtor de tua existência. Dessa maneira, se hoje te encontras atrelado ao próprio passado, vives a ventura de modificar, significativamente, o futuro, desde que te proponhas a começar pelo teu íntimo.

Sempre que essa sensação desagradável te invadir o coração, lembra-te de que ela representa, antes de qualquer coisa, a necessidade da corrigenda, a fim de que não vivencies outros sofrimentos de forma desnecessária.

Busca a caridade e, por intermédio dela, encontrarás benefícios incalculáveis para a tua alma. É no dom de servir que mais te aproximarás de Jesus e somente Ele te ajudará a vencer as sensações desagradáveis as quais não apenas recordam o que és, mas, acima de tudo, indicam o que precisas modificar para te tornares alguém infinitamente melhor.

Silêncio mental

O refúgio da mente no silêncio é terapia extremamente eficaz e deve ser exercitada diariamente, a fim de proporcionar o equilíbrio necessário à solução de todas as pendências.

Habitando um mundo onde o bulício dos desejos se tornou um verdadeiro tormento para a alma, muitas vezes a tua mente sente os desgastes que lhe impões e sofre com eles, sem que tornes imperativo criar o hábito salutar de lhe oferecer o necessário repouso.

Quando os problemas se acercam, a submetes ao cansaço da necessidade inadiável da resolução que desejas, sem lhe respeitares os limites e a precisão de refazimento.

A mente habituada à quietude da reflexão e da prece, atinge o benefício do equilíbrio e da lucidez que ampliam, e muito, a capacidade de sintonizar com as vibrações de alto teor, que carreiam consigo energias vitalizadoras e balsâmicas à alma e ao corpo, tantas vezes vergastado pelas ansiedades desmedidas e pelas dificuldades escravizantes.

Aprende a orar sem o mecanismo das palavras decoradas. Mergulha a alma cansada no zimbório das emanações divinas onde poderás matar a fome de amor e a sede de misericórdia, sentimentos tão necessários ao enfrenta-

Superando a Ansiedade

mento do homem velho que persiste em permanecer abrigado no teu ego devastado pelo isolamento de Deus.

Não postergues mais a condição de aceitar que precisas estar mais com o Criador, num ambiente de paz total, a fim de que a tua alma se encharque dela e seja portadora dos mais significativos benefícios.

A mente que aprende a aquietar-se não conhece o desespero nem a revolta. A paz que a invade torna-a renovada e fortalecida, para fazer do problema que a assola, não o cadafalso da destruição, mas o passaporte seguro para o intercâmbio feliz e duradouro entre a criatura e o Criador.

A mente serena é o paraíso que agasalha, a força que transforma e a esperança que ampara.

A mente tranqüila é o refúgio onde a alma pode encontrar-se com Deus.

Só por hoje

Diante dos obstáculos que normalmente surgem na vida, sentes, variadas vezes, as forças ruírem e o desânimo te alcançar.

Embora constates que há uma necessidade imperiosa de mudança de conduta, o trabalho para efetuá-la é tão extenso que nunca te animas a iniciá-lo. Toda mudança requer empenho e é necessário que estejas disposto a despedir-te da alma velha que és, empenhando-te por liberar-te das condições viciosas que te sustentaram o ser até o presente.

Com a antiga conduta, criaste hábitos perniciosos dos quais terás que te desvencilhar por meio de atitudes persistentes e diárias, por isso, só por hoje, roga a Deus te permita enxergar os outros com olhos de misericórdia e ver apenas o bem em cada um.

Só por hoje, esforça-te por manter a paciência com aqueles que te cobram uma dedicação além das tuas forças e, sem esmorecer ou reclamar, oferece-lhes o melhor de ti.

Só por hoje, cala a palavra que fere e, com um esforço íntimo muitas vezes incalculável, sonoriza uma frase de carinho, mesmo que não seja do teu coração, a fim de que exercites o verbo a não agredir e, com isso, eduques os sentimentos da alma.

Superando a Ansiedade

Só por hoje, não deixes que tuas mãos se neguem a servir, convencendo-te de que, apesar das dificuldades, não existem momentos em que não tenhas nada a oferecer.

Só por hoje, aceita a tua dor por maior que ela seja, recordando os que sofrem mais do que tu e agradece, procurando extrair do momento uma preciosa lição.

Só por hoje, explode de felicidade pelo que tens, mesmo aquém do que sonhaste, porque existem aqueles que estão à míngua e, mesmo assim, conseguem sorrir.

Só por hoje, para e reflete que, se essa vida não é tudo que queres, com certeza, reúne tudo de que precisas.

Só por hoje, agradece o teto que te acolhe, lembrando-te dos desabrigados sob o relento e as intempéries.

Só por hoje, abençoa as mãos que te envolvem e são úteis, mesmo que as percebas frágeis e inseguras, sem atender-te os menores caprichos, entendendo que, com certeza, elas estão se empenhando ao máximo para te fazer feliz.

Só por hoje, enxerga o teu ofensor como alguém profundamente necessitado de esclarecimento e de amor e perdoa-lhe o arroubo de desequilíbrio, sorrindo-lhe com mansidão.

Só por hoje, não revides, canalizando essa energia que poupaste ao desperdício para uma prece ou um ato de solidariedade.

Lembra-te de que, só por hoje, podes permanecer na Terra, então cuida enquanto possas para garantir o teu retorno num momento de empenho a favor do bem e, assim, construir a teu próprio favor, um amanhã melhor.

Solidão

O homem é um ser gregário, por isso não é destinado a viver em isolamento, em solidão. Quando esta o atinge, o sofrimento é atroz e destruidor.

Solidão, no entanto, não é sinônimo de se preservarem alguns momentos por dia para refletir-se, a sós, sobre os atos da própria vida, numa saudável autoanálise da consciência.

Permitimos que os dias se sucedam, num mecanismo automático que não nos permite tirar a média de aproveitamento das nossas horas. Tantas atitudes são arquivadas no inconsciente, sem serem submetidas ao exame acurado que merecem, a fim de que possamos extrair o verdadeiro aprendizado, único caminho de enriquecimento de nossas almas.

O homem estabeleceu a afoita corrida de conquista do macrocosmo e esqueceu-se do universo que é. Não aprendeu a viajar ao íntimo de si mesmo, a fim de conquistar o autoconhecimento.

Negou-se ao encontro de si próprio, negando-se ao encontro com Deus.

Ao se afastar das tarefas exteriores, depara-se com o nada que cultivou em seu íntimo, permanecendo inteiramente a sós.

Superando a Ansiedade

Assim sendo, vê-se aturdido perante os problemas que lhe são naturais à existência, mas que o encontram despreparado ante o desconhecimento das forças que residem em seu imo, atirando-se à depressão, às síndromes variadas e, muitas vezes, aos vícios destruidores que o arrastam ao estiolamento das energias físicas e à morte precoce.

Olvida que, tal como o zimbório com que Deus lhe brindou a existência, para que através dos astros cintilantes conservasse a suave certeza da Sua presença, há também um céu em sua própria alma, onde cintilam estrelas de amor e esperança e onde, finalmente, pode encontrar Deus, para nunca mais experimentar o tormentoso vácuo da solidão.

Solidariedade

Cada vez que, em teu caminho, surgir um irmão em penúria e dor, não lhe devaste a chaga moral com tua crítica ou pouco caso.

Lembra-te, antes, de que tanto ele quanto tu mesmo ocupam uma posição de singular importância no coração de Jesus e que a exata diferença entre ele e ti é exatamente o momento que se apresenta.

Cada um vive a experiência necessária ao seu aprimoramento e ninguém poderá garantir que já tenhas sido aprovado em tão difícil lição, que hoje compete àquele irmão vivenciar, ou que não necessites vivê-la algum dia, a fim de acumular o quesito da humildade no rol de tuas virtudes.

Se já passaste por essa prova, com louvor, certamente, lhe estenderás a mão com ternura e amor, erguendo-o o quanto possas, sem questionar as razões que o atiraram ao poço da miséria e da dor. Trarás contigo o eco de palavras de ânimo que, por tua vez, recebeste e as dirigirás a ele, com imensa gratidão pela oportunidade de servir.

Se não, talvez sejas aquele que, tomado pelas suas ocupações diárias, não encontra tempo de servir, passando ao largo da dor que grunhe, para, mais tarde, seres detido

Superando a Ansiedade

por ela, sublime companheira que te conduzirá, de volta, ao convívio de Jesus.

Lembra-te de que não há melhor oportunidade na vida de ninguém que não seja a de poder servir. Assim, serve com todo o amor para que a lição te fique gravada na alma e não necessites vivenciá-la de forma diferenciada, sendo tu agora quem precise ser amparado.

Nada do que possuis na Terra te é permanente e as posições costumeiramente se alternam, oferecendo-te sempre a chance de experienciar o outro lado. Não te atires à dor, simplesmente porque te negaste a servir.

Para que não te condenes ao imperativo de caminhar com ela, dá a quem com ela está, o melhor de ti.

Soluções fáceis

Se te encontras em busca de soluções, não penses que as encontrarás com facilidade, pois elas sempre te exigirão muito empenho e trabalho.

Não te abandones ao desalento e não cobres dos que são perseverantes a solução dos teus problemas, sobrecarregando outros ombros com os esforços que te competem.

Recorda-te de que, se existem desafios, foste tu mesmo quem os criaste, portanto usa da mesma habilidade para extingui-los.

Não te isoles nas paredes do egoísmo, vitimado pelo próprio orgulho, porém aceita as sugestões que chegam, pois elas podem oferecer caminhos novos, nunca antes percorridos por ti, mas, com certeza, no labirinto de tuas agonias, poderão te conduzir à liberdade.

Se nunca o fizeste, ergue agora os teus olhos ao Pai e, por piores sejam os teus sofrimentos, tem a humildade de reconhecer-te infinitamente mais feliz que muitos e ainda na condição de auxiliar.

Convence-te de que, sem esforço, não irás a lugar algum e, se mesmo assim, alguém te amealhar com soluções imediatistas, guarda contigo a certeza de que segues iludido, para retornares mais tarde ao ponto inicial, talvez mais cansado e oprimido.

Não olvides que, diante das soluções fáceis, quase sempre está a facilidade de cair. Não te negues a trabalhar por tuas próprias conquistas, pois, somente assim, te liberarás das estradas tortuosas por onde insististe em caminhar, mas será exatamente nelas, nos mesmos sítios em que erraste, perante os ofendidos, que poderás encontrar as definitivas e redentoras soluções. Então, a continuidade da estrada se tornará de luz, tanto mais se aproxime de Deus.

Supérfluos

Agitas a vida em busca de bens que não vão acrescentar nada mais à tua existência a não ser cobrança e preocupação.

Alegas que nunca tens o bastante para viveres com conforto e sossego e, por isso, te impões desgastes totalmente desnecessários.

Imaginas que a felicidade tem o tamanho das posses materiais de cada um, como se algumas posses fossem suficientes para levar um Espírito à plenitude.

Ainda não conseguiste entender que não és um ser do mundo o qual habitas. Que ele é, apenas, uma estação onde aportas, por tempo determinado, e para onde deves levar mais provisões morais do que materiais, a fim de conseguires ultrapassá-lo, com segurança suficiente, sem te fazeres prisioneiro dele.

Lembra-te de que, quanto mais tiveres, mais dificuldade terás em deixá-lo, mais atado a ele estarás.

Sê um Espírito livre, sem amarras a te prender ao mundo de passagem que é a Terra, para que, à hora aprazada para tua partida, possas voar como pássaro, que, embora tenha permanecido cativo por algum tempo, não se esqueceu das belezas do seu mundo de origem e assim pode retornar a ele com serenidade.

Não te desgastes tanto para conquistar o que, por fim, não poderás usufruir, pois o teu Espírito não precisa de bens materiais, ele precisa de bênçãos e de virtudes, entre estas, a do desapego que te proporcionará um retorno em paz.

Talvez amanhã

Talvez amanhã, encontres algum tempo para estar com Jesus.

Talvez amanhã, antes que o cansaço alcance os limites de tuas forças, consigas fazer uma prece.

Talvez amanhã, descubras que até os problemas aparentemente insolúveis tu tens condições de resolver.

Talvez amanhã, consigas definir que os obstáculos são lições de difícil aprendizado a rogar-te atenção.

Talvez amanhã, estejas apto a entender como é importante o trabalho contínuo a favor do bem.

Talvez amanhã, descubras quanto é saudável sustentar um pensamento otimista.

Talvez amanhã, possas esquecer comezinhos problemas e sair em socorro de alguém.

Talvez amanhã, já consigas dispensar um sorriso a um irmão deprimido.

Talvez amanhã, observes o erro alheio sem intenção de condenar.

Talvez amanhã, estejas preparado para superar a ti mesmo.

Talvez amanhã, conquistes o dom da paciência.

Mas talvez amanhã, seja tarde demais para tudo isso. Faze hoje, faze agora, todo o bem que possas a favor de ti mesmo.

Tempestades

Que seria da tua vida se não fossem as tempestades? Já paraste diante de ti mesmo para avaliares quão pouco fazes em dias de calmaria?

Para que usas os teus fins de semana, senão para o descanso exagerado ou os divertimentos desmedidos.

Assim te acostumaste na vida. Se a calmaria te oferecer guarida, ficarás inerte, sem força para avançar.

As tempestades vêm, como ondas saneadoras, a fim de restabelecer, ao redor de ti, atmosfera renovada, completamente diferenciada daquela que alimentas quando te sentes vítima, quando te revoltas ou desdenhas diante dos caprichos que não conseguiste realizar e dos sonhos não concretizados. Isso porque a misericórdia infinita de Deus conhece a fundo tuas necessidades e mimos, e sabe o exato limite em que se instala o teu desequilíbrio.

Quando o vendaval do ciúme, a chuva ácida do desprezo, a enchente da amargura ou a trovoada do desespero te abaterem a alma, observa como, imediatamente, sentirás o soprar da brisa do ânimo a erguer-te as forças num convite irrecusável para continuares a caminhada, luarizado de esperança ao encontro de Deus.

Superando a Ansiedade

Terapia da paz

Aparentemente, o mundo é sugado, neste momento grave da existência humana, pelo torvelinho de interesses escusos e mesquinhos.

O ser parece acreditar que não vale mais se empenhar em fazer o bem a todo instante.

Muitos são os que, pela sua necessidade insaciável de poder, fomentam a guerra, em detrimento das vidas que se perdem, semeando, por toda parte, a viuvez, a orfandade, o frio, a fome, mas acima de tudo, o desamor e a miséria moral que torna a todos, vencidos e vencedores, Espíritos verdadeiramente derrotados por não conseguirem enxergar a sua destinação imortal.

Dirás que muito se fala a favor da paz, mas muito se faz a favor da guerra. Infelizmente, a disputa por interesses mesquinhos ainda pertence à alma humana, que se debate incessantemente nos escaninhos do instinto, quando já tanto conquistou em ciência e tecnologia, esquecendo-se, no entanto, de evoluir também nos padrões da espiritualidade, principalmente, a favor do amor. Mas não te desesperes.

Não te deixes enganar pelas aparências. Lança um olhar mais acurado sobre a Terra para poderes perceber que o bem sobrepuja o mal por toda parte.

Vê que se multiplicam as ações a favor da proteção ambiental e procura reduzir a emissão de poluentes que possam danificar a atmosfera que propicia a vida sobre a crosta.

Encontrarás, apesar de tudo, autoridades verdadeiramente empenhadas em cumprir os melhores propósitos em relação às sociedades que nelas confiaram.

A fome, as doenças incuráveis, os desastres naturais e coletivos, os tormentos morais avassaladores, vão de acordo com as necessidades que impõem, aproximando as criaturas umas das outras pelas vias da solidariedade.

Um dia se criará o hábito de amar. Pelas próprias carências, o homem se cansará da luta e buscará a terapia da paz para estar com seus irmãos de caminhada, mas acima de tudo, com Deus.

Teu irmão e tu

Recorda-te de que não há ninguém que possa caminhar a sós.

Onde estiveres, sempre terás a teu lado a companhia de outras almas, cada qual envolta nas suas dificuldades, porém, todas, sem exceção, trilhando o mesmo caminho.

Fica ciente de que, perante Jesus, não ficam estabelecidas preferências, mas todos são dignos de igual importância.

Por isso, onde quer que te encontres, oferece ao irmão de jornada o melhor de ti, tanto quanto mereces o melhor dele.

Seja no círculo familiar ou na roda de amizades, no rol profissional ou no meio da multidão que te é desconhecida, todos merecerão do Cristo a máxima misericórdia e amor.

Não sejas, portanto, o que se valoriza em detrimento do próximo.

Para que te sintas feliz, não responsabilizes outrem pelas tuas necessidades. Faze-as tu mesmo, respeitando os limites do teu irmão.

Ao contrário do que pensas, ninguém te é inferior ou merece menos do que tu.

Superando a Ansiedade

Não tens o direito de submeter quem quer que seja aos teus caprichos ou aos grilhões da tua suposta autoridade.

Não deves atirar a mãos alheias o trabalho que te pertence.

Não deves sobrecarregar nenhum coração com as tuas carências.

Que mão nenhuma receba os calos da tua imposição.

Que nenhuma alma sofra a humilhação da tua prepotência.

Lembra-te sempre de que entre teu irmão e tu, deves reservar-te o dever de servir e a ele, o direito de ser amado.

Teu pensamento

O que pensas traduz a harmonia ou o desequilíbrio em que paira a tua alma.

O pensamento é força viva e poderosa que, por não ser palpável no mundo físico, é lançada, irresponsavelmente, ao mundo espiritual onde, por ser densa, torna-se a tua própria carteira de identificação, atraindo, para ti e para o ambiente onde vives, Espíritos que se afinam contigo.

Pensar é criar constantemente.

Se desejas a paz, cria-a primeiro no pensamento e, num esforço constante, transforma-a em atos que a sedimentem em tua existência.

Cada vez que emites um pensamento, dispensas energias vigorosas que te fortalecem ou te enfraquecem a alma, com reflexos imediatos no teu campo físico.

Tu és o que pensas e tuas células físicas nutrem-se das forças dos teus pensamentos. Dependendo do direcionamento que lhes deres, assim estipularás um destino para ti. Saúde ou doença são estados de alma, materializados pela força do pensamento.

Lembra-te de que vives imerso num universo individual e dinâmico, fruto do teu ser e que, somente em ti, está o dom de ser ou não feliz.

Superando a Ansiedade

Torturas desnecessárias

Tantas vezes nos impomos verdadeiras torturas de forma desnecessária. Isso é um desatino que praticamos com nós mesmos.

Vivenciamos, insistentemente, fatos que deveriam ser sumariamente esquecidos, a benefício de nossas almas. São lembranças dispensáveis que permanecemos alimentando com sentimentos de revolta, atormentando-nos infinitamente.

Sobrecarregamo-nos, assim, de vibrações descompensadas, sorvendo profundo desequilíbrio que não ficará apenas represado na alma, mas, fatalmente, escorrerá para nosso organismo biológico e provocará danos, muitas vezes, irreversíveis.

Por que nos apegamos tanto a coisas tão pequenas, buscando vitórias momentâneas sobre as contendas vivenciadas, sem termos a lucidez de quebrar os grilhões que nos aprisionam à contumaz ignorância?

Por que insistimos em mergulhar nas trevas da alma desencantada da vida, sem nos apercebermos da beleza de uma flor, do canto de um pássaro, do balouçar dos ramos de uma árvore, do azul do céu, como símbolos reais da presença constante de Deus junto a nós?

Superando a Ansiedade

É dessa presença que devemos insuflar a alma, aspirar os fluidos benéficos do amor exalado pelos poros da natureza que pulsa vida de que, tantas vezes, sentimos falta, pela mera ingratidão a Deus.

Dessa forma, nos abastecemos no repositório incomparável dessa natureza abençoada, enaltecendo o bem, por todas as formas, para tornar-nos fortes e podermos passar o passado a limpo, pelo exercício constante do amor.

Assim, seguiremos dando vida à vida, cientes de que nossa grande fatalidade é ser felizes.

Tua conduta

Arraigado ao passado, encontras atrozes dificuldades a cercear as tuas intenções de te tornar melhor.

A reforma íntima necessita do teu esforço constante para se concretizar.

Não queiras, ao raiar do dia, despertar num padrão evolutivo além das possibilidades de que dispões.

Empenha-te em conquistar, passo a passo, cada degrau da escalada espiritual que te compete percorrer sempre munida de muita fé e perseverança.

Economiza a força que despendes constantemente em gestos encolerizados, renovando-a na prece, pensando e repensando cada ato, no momento que precede a sua realização.

Constrói um mundo seguro ao redor de ti, fruto de teus pensamentos e realizações para que possas seguir adiante sem deixar pendências que te exijam o doloroso retorno.

Pensa que teus atos ficarão indelevelmente gravados no éter e tua alma arrastará consigo as cicatrizes da dor ou a aura de paz que cultivaste pelo caminho.

É da lei que sigas, levando contigo o destino que construíste.

Superando a Ansiedade

O semeador é sempre o que promove a colheita e a colheita é fiel à semente plantada.

Embora a vida se renove a cada reencarnação, ela é a sequência exata do que foi vivido anteriormente.

Segue, sem esquecer, que a tua conduta de hoje ditará o teu dia de amanhã.

Tua paz

Teu mundo íntimo é um imenso cosmos, onde pulsa intensamente a vida. Respeita-o.

Vive de tal maneira que sejas, nessa vida, um elemento propulsor do bem por meio de teus pensamentos e atitudes.

Lembra-te de que a presença de Deus em ti é uma verdade indiscutível e que, para atingires a plenitude da paz, basta aprender a encontrá-Lo em ti, permanecendo com Ele em todas as circunstâncias.

Não importa que, no mundo externo, se multipliquem as contendas, as desordens e os desencantos. Isso representa a manifestação da inferioridade, tão presente no coração daqueles que não se encontraram em definitivo com Jesus, e debatem-se nos grilhões da carne, em busca de aprendizados que, infelizmente, ainda optam por conquistar pela dor. É imprescindível, no entanto, que não sejas conivente com as suas condutas.

Não te permitas convencer de que o mal, a mentira, a corrupção, a deslealdade e o desamor sejam os caminhos vitoriosos.

Verás que, perseguir o bem, é tarefa hercúlea e que, muitas vozes se erguerão para te chamar de louco ou fanático.

Não importa.

Superando a Ansiedade

Segue adiante mesmo assim, persiste no bem sem esmorecimento, mantém acesa em tua alma a chama da fé e guarda-te no silêncio da prece que renova e fortalece, a fim de que, apesar de tudo, teu mundo interior continue em paz.

Vida única

Há Espíritos de todos os matizes.

Há os que creem numa vida única, uma passagem ímpar pela existência física, onde cada um faz o possível para tirar as vantagens que conseguir e, finalmente, é direcionado para um lugar efetivo, de acordo com os seus atos, a viver uma vida eterna.

Há os que creem na reencarnação e pensam que têm o direito de postergar tudo para a próxima oportunidade, podendo, por isso, fazer desta, o que bem entenderem, sem o desprendimento de nenhum grande esforço na melhoria íntima.

Esta vida é, realmente, única, mas porque é a melhor oportunidade que possuis para fazer o mais que puderes a favor do bem, que muito mais representará para ti, do que para aqueles a quem o dirigires.

Não postergues nada para amanhã, sob pena de comprometer ainda mais as tuas energias e também porque não podes afirmar se o amanhã se concretizará nessa existência.

Não deixes fugirem, como grãos de areia por entre os dedos, as chances de aprender e crescer cada vez mais.

Não mergulhes em sentimentos negativos, sentindo-

-te, constantemente, vítima ou cheio de remorso. E, todas as vezes que caíres, lembra-te da importância, acima de tudo, de erguer-te e continuar.

Não te permitas ficar ao abandono de ti mesmo e cuida para que o desânimo não te sequestre a esperança e a fé.

Lembra-te de que o hoje teve seus alicerces fincados no ontem e que o amanhã dependerá do que fizeres agora.

O oceano é feito de gotas, o deserto, de grãos de areia e a eternidade, de segundos.

Age, no entanto, para que a tua eternidade seja feita de *hojes* gloriosos, baseados na responsabilidade e na perseverança que tiveste na concepção de cada instante.

E lembra-te, acima de tudo, de que, realmente, embora exista múltipla oportunidade da reencarnação, cada vida é única naquilo que representa para a evolução do Espírito.

Mas que essa vida única, não seja a única vida em que te empenhaste por fazer o melhor.

DA MESMA AUTORA

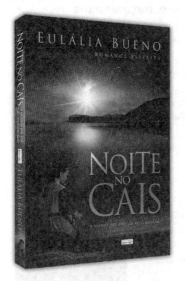

Noite no cais
Eulália Bueno
Romance mediúnico • 16x22,5 cm • 256 pp.

A personagem central desta obra vive uma infeliz noite no cais do porto de Santos. Thereza havia sido prostituta de luxo na cidade... Em paralelo, vemos as noites de disciplina e trabalho devotado das equipes, na luta contra a obsessão. Mas esta não é uma história de escuridão. Muito pelo contrário!

No silêncio dos claustros
Eulália Bueno • Thereza (espírito)
Romance mediúnico • 16x22,5 cm • 272 páginas

Século 14: em Portugal renasce para o mundo Maria Isabel, sendo acolhida e criada pela rainha Isabel de Aragão. Século 20: renasce para o mundo Luiza, no interior de São Paulo, com a missão de amenizar as dores de seus irmãos. Descubra o que une estas duas personagens e o que podemos aprender com elas.

CONHEÇA TAMBÉM

Pensamento, força da alma
Donizete Pinheiro
Estudo • 15,5x22,5 cm • 256 pp.

Sempre analisados à luz da doutrina espírita, e fartamente embasados nos livros da codificação e em outros importantes personagens dentro do espiritismo, os diversos tópicos aqui tratados mostram-se de grande importância para o entendimento dessa força da alma – o pensamento.

Mente saudável, vida serena
Rodrigues de Camargo
Doutrinário • 14x21 cm • 176 pp.

Diretor da **Editora EME**, o autor nos apresenta este livro no qual reúne textos instrutivos e agradáveis falando de Chico Xavier, Jesus e Deus, convidando-nos a viver cada vez mais a saúde e a espiritualidade interior.

O amor pelos animais
Ricardo Orestes Forni
Doutrinário • 14x21 cm • 176 pp.

Aborda o intrigante assunto da alma dos animais, com esclarecimentos valiosos sobre diversos temas relacionados, mostrando a grandeza da criação divina, onde tudo tem o objetivo de evoluir. Apresenta ainda exemplos tirados do relacionamento de pessoas como Chico Xavier e Cairbar Schutel com os animais.

Não encontrando os livros da **EME** na livraria de sua preferência, solicite o endereço de nosso distribuidor mais próximo de você:
Fones: (19) 3491-7000 / 3491-5449
(claro) 9 9317-2800 (vivo) 9 9983-2575
E-mail: vendas@editoraeme.com.br – Site: www.editoraeme.com.br

f /editoraeme @editoraeme @EditoraEme editoraemeoficial